LA NAISSANCE ET LA FORCE

Dans la même série

Les Loups du tsar, Le courage et la l'humilité, roman, 2009.

Les Loups du tsar, La loyauté et la foi, roman, 2009.

Jeunesse

Le trésor des SS, série Phoenix, détective du Temps, Montréal, Trécarré, 2009.

M'aimeras-tu assez?, Montréal, Trécarré, coll. «Intime», 2008.

Ma vie sans toi, Trécarré, coll. «Intime», 2008.

Les enfants de Poséidon, Le retour des Atlantes, Montréal, Éditions La Semaine, 2008.

Les enfants de Poséidon, Les lois de la communauté, Montréal, Éditions La Semaine, 2007.

Les enfants de Poséidon, La malédiction des Atlantes, Montréal, Éditions La Semaine, 2007.

L'empereur immortel, série Phoenix, détective du Temps, Montréal, Trécarré, 2007.

Une histoire de gars, Montréal, Trécarré, coll. «Intime», 2007.

L'énigme du tombeau vide, série Phoenix, détective du Temps, Montréal, Trécarré, 2006.

À contre-courant, Montréal, Trécarré, coll. «Intime», 2005.

De l'autre côté du miroir, Montréal, Trécarré, coll. «Intime», 2005.

Entre lui et elle, Montréal, Trécarré, coll. «Intime», 2005.

L'amour dans la balance, Montréal, Trécarré, coll. «Intime», 2005.

Trop jeune pour moi, Montréal, Trécarré, coll. «Intime», 2005.

Adulte

Le grand deuil, Montréal, Éditions Michel Brûlé, 2007.

L'eau, le défi du siècle, Montréal, Éditions Publistar, 2005.

Pour quatorze dollars, elles sont à vous (avec Céline Lomez), Éditions Publistar, coll. «Bibliographie», 2004.

SYLVIE-CATHERINE DE VAILLY

Les Loups du tsar 1

La naissance et la force

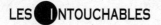

Les Éditions des Intouchables bénéficient du soutien financier de la SODEC et du Programme de crédits d'impôt du gouvernement du Québec.

 Conseil des Arts du Canada — Nous remercions le Conseil des Arts du Canada de l'aide accordée à notre programme de publication.

Nous reconnaissons l'aide financière du gouvernement du Canada par l'entremise du Programme d'aide au développement de l'industrie de l'édition (PADIÉ) pour nos activités d'édition.

Membre de l'Association nationale des éditeurs de livres.

LES ÉDITIONS DES INTOUCHABLES
512, boulevard Saint-Joseph Est, app. 1
Montréal, Québec
H2J 1J9
Téléphone : 514-526-0770
Télécopieur : 514-529-7780
www.lesintouchables.com

DISTRIBUTION : PROLOGUE
1650, boulevard Lionel-Bertrand
Boisbriand, Québec
J7H 1N7
Téléphone : 450-434-0306
Télécopieur : 450-434-2627

Impression : Transcontinental
Illustration de la couverture : Alexandre Girard
Infographie : Mathieu Giguère

Dépôt légal : 2009
Bibliothèque et Archives nationales du Québec
Bibliothèque nationale du Canada

ISBN : 978-2-89549-374-7
      978-2-89549-393-8 (tome à 99 ¢)

*Merci à Daniel et Sophie Henocq
pour leur générosité et leur gentillesse.*

Au-delà des montagnes de l'Oural
subsiste,
aujourd'hui encore,
une légende concernant
une confrérie occulte
qui aurait pour mission
de protéger un arcane*,
un secret d'une puissance indivisible
et exceptionnelle,
issu d'une époque fort ancienne
et protégé par des Loups.

Ce prodigieux trésor repose
dans un lieu défendu,
attendant le jour de sa résurgence.

Chapitre I

Village de Sokol, région de Vologda, Russie,
le 20 octobre 1900

— Je vous le répète, ils sont revenus ! s'écria l'homme en se penchant vers un couple qui dînait.

Le client, attablé devant son *chtchi**, releva lentement la tête. Son agacement, depuis un moment déjà, était palpable et sa femme remarquait fort bien toute la retenue dont il tentait de faire preuve. Le dîneur poussa un profond soupir. Bien qu'il fût irrité, ses yeux exprimaient néanmoins une certaine clémence envers celui qui le dérangeait sans vergogne durant son repas. Il afficha un sourire forcé.

— Voyons, père Droski, vous avez trop bu ce soir… encore ! Peut-être même plus qu'à l'accoutumée, on dirait… C'est madame qui ne sera pas contente de vous voir dans cet état ! Je crains que vous ne passiez la nuit dehors… Ça devient une habitude ! lança-t-il tout en tentant de dissimuler son exacerbation derrière un amusement feint.

Des ricanements se firent entendre.

— Oh! mais j'y pense, c'est vrai! ajouta le client comme s'il se rappelait un détail. Nous sommes en octobre… Mois funeste, n'est-ce pas, le père?

C'était devenu si habituel de voir le vieux Droski dans cet état d'ébriété avancée que plus personne ne s'en souciait réellement. Les habitants du petit village de Sokol accueillaient les lamentations du vieillard en tentant de faire preuve de compassion et de tolérance. Chacun savait, sans vraiment le savoir, que le vieux avait eu une vie des plus malheureuses. Une fois par an, et c'était le cas ce soir-là, il se mettait à délirer à propos d'une étrange conspiration qui visait à enlever des enfants dès qu'ils prenaient leur premier souffle hors du ventre de leur mère. Lorsque les habitants du village lui demandaient des explications sur cette mystérieuse machination, l'homme, incapable d'approfondir le sujet, bafouillait quelques mots inaudibles, devenant ainsi la risée de tous. Même si cette moquerie se voulait sympathique et sans mesquinerie — au fond, les villageois aimaient bien cet excentrique —, le vieillard rentrait chez lui en larmes et s'y enfermait à double tour. Dès lors, les passants ne le croisaient plus pendant quelques jours, devinant la présence de l'homme, bien plus qu'ils ne le voyaient, derrière les rideaux

élimés. Il se terrait littéralement chez lui, se barri-
cadait et refusait d'ouvrir à quiconque, même à
son meilleur ami qui avait, disait-on, connu lui
aussi bien des malheurs.

Une vie de misère qui n'était allée qu'en se
rétrécissant, une vraie peau de chagrin.

Durant ces quelques jours, le vieillard poussait
la folie jusqu'à interdire à sa propre femme de
sortir de la maison. Les habitants murmuraient
qu'il déraisonnait complètement et que la vieille,
qui avait subi ces extravagances pendant tant
d'années, avait depuis longtemps mérité son ciel.
La pauvre, hélas, endurait ses délires depuis plus
de cinquante ans! L'homme était devenu un ivrogne
notoire, mais qui, la plupart du temps, buvait
tranquillement de son côté sans jamais déranger
personne. Ce n'était pas un mauvais bougre. Seulement, une fois par année, en octobre précisément,
et tous ignoraient pourquoi à cette date précise, il se
mettait malheureusement à divaguer avec cette
étrange histoire, profitant de chaque regard et
sollicitant la sympathie de tous ceux qu'il croisait.

Ce triste rituel avait lieu tous les ans à la même
époque et se renouvelait ainsi depuis longtemps
maintenant. Cet événement automnal mettait,
n'ayons pas peur des mots, beaucoup de divertis-
sement dans le village. Cette étrange « coutume »
locale, comme l'appelaient les habitants de Sokol,
avait bien évidemment fait naître d'autres histoires

toutes plus incroyables les unes que les autres, et on les racontait le soir venu aux enfants pour leur faire peur. Imaginez, des loups qui enlevaient des nouveau-nés ! Il n'en fallait pas plus pour terroriser même les plus téméraires ! Et chacun y allait de son interprétation en affirmant avec conviction connaître la « vraie vérité ». Mais dans les faits, personne, du moins que l'on connût vraiment, ne savait réellement ce que cachait cette affaire d'enlèvements.

Même la mère Droski, la femme du pauvre hère, affirmait ne rien savoir concernant les divagations de son mari. Elle ne pouvait que répondre, quand on l'interrogeait sur le sujet, qu'un jour, il y avait plus de cinquante ans de cela, alors qu'ils n'étaient encore que de jeunes fiancés, son amoureux était revenu après un très long voyage dans les Carpates avec, dans ses bagages, cette histoire sordide. Pendant qu'il logeait chez une fermière, il aurait vu des loups enlever le rejeton à peine né de celle-ci. La mère Droski avait alors pensé qu'avec le temps, son fiancé finirait bien par oublier cet étrange épisode de sa vie. « Mais il n'en fut rien ! », concluait-elle avec tristesse. Plus il vieillissait et plus cet affreux conte occupait son esprit et sa vie.

L'ancien se redressa, piqué au vif par le commentaire de celui qu'il venait pourtant de déranger pendant son repas. Il le fixa longuement de ses yeux sombres, avant de pointer vers lui son index tordu.

Il se pencha un peu plus, offrant ainsi son haleine frelatée aux soupeurs.

— Vous verrez… vous verrez que je ne suis pas aussi timbré que vous le pensez. Je reconnais les signes… J'ai déjà connu cette situation il y a bien longtemps de cela, et voilà que ça recommence… Ils sont là, je le sais… Ils rôdent, je le sens… Je vous le dis…

L'homme tituba de quelques pas avant d'ajouter, en sifflant entre les quelques dents qui lui restaient et cette fois-ci au profit de tous les accoutumés de la taverne :

— Les Loups reviennent ! Je vous aurai prévenus… Je les sens, ces sales bêtes !

— Vous délirez, père Droski… Vous nous cassez les pieds avec cette histoire chaque année depuis au moins vingt ans… C'est vraiment pas de chance ! Vous pourriez être plus complaisant envers nous et nous ménager un petit peu ! s'écria une voix anonyme du fond de la salle.

— Non, non ! Vous vous trompez. Les enlèvements ont lieu tous les vingt-cinq ans, pas tous les ans…, précisa le pauvre homme en cherchant du regard celui qui avait parlé.

— Oui, mais vous, c'est tous les ans que vous nous vrillez les oreilles avec votre fable ! Pourriez pas nous donner une année sabbatique ? ajouta une autre voix. Juste une !

— Ou revenir dans vingt-cinq ans ! suggéra une troisième.

Des éclats de rire accompagnèrent ces remarques, tandis que le vieillard couvait de son regard humide les clients de la petite taverne en secouant la tête de dépit.

— Vous devriez rentrer cuver votre *kvass**! renchérit une autre voix marquée, celle-ci, par moins d'assurance.

Le vieillard, le dos voûté et le pas incertain, porta alors ses yeux vitreux vers la jeune tavernière qui essuyait ses verres avec méthode avant de les empiler précairement devant elle. Celle-ci le fixa une seconde en pinçant les lèvres avant de lui sourire avec attendrissement. Elle aimait bien le père Droski, malgré sa paranoïa. D'ailleurs, tout le monde aimait cet homme, c'était bien pour cela que chacun tentait de le remettre à sa place sans trop le bousculer, et qu'on le supportait malgré ses délires insensés qui dérangeaient tout le monde.

La réputation du vieillard avait depuis longtemps fait le tour non seulement de la taverne Chez Lev, mais de tous les établissements de la région. Tous et chacun dans la contrée de Vologda connaissaient le père Droski et ses incroyables élucubrations sur d'étranges sociétés secrètes qui enlevaient à leur famille des enfants, dès leur naissance, pour les emmener au loin. Pourquoi? Et qui étaient ces gens? Ça, le père Droski était incapable de le dire, mais ce qu'il scandait cependant avec conviction, c'était qu'en octobre, tous les quarts de siècle, le drame se reproduisait. Et tous les villageois de la région avaient droit, annuellement, durant cette période précise, à ses jérémiades. C'était réellement devenu une coutume locale !

— Pourquoi ne me croyez-vous pas ? souffla-t-il dans un chuchotement troublant tout en continuant de dévisager la jeune femme.

Après quelques murmures et platitudes, l'assemblée, maintenant ennuyée, se tut enfin et chacun reprit la conversation là où il l'avait laissée, tournant le dos au vieillard et à ses drôles de propos. Le spectacle était terminé, les clients souhaitaient passer à autre chose, le clown pouvait se retirer.

— Rentrez chez vous, le père, allez dormir, demain ça ira mieux ! lança gentiment le mari de l'hôtelière qui, déjà, entraînait le vieux vers la sortie en le prenant par un bras dont il devinait la maigreur sous l'épais manteau de drap.

— Vous ne me croyez pas, n'est-ce pas ? Vous pensez que je suis fou, insista le vieillard en passant la porte.

L'aubergiste le regarda un instant, ses yeux gris bleuté se teintant de tristesse. Il fit une légère grimace — de toute évidence, il était fort mal à l'aise — avant de répondre tout bas :

— Il y a des choses, père Droski, qu'il vaut peut-être mieux laisser derrière soi. Il n'est pas bon de traîner constamment son passé. Je ne sais pas ce qui vous est arrivé, ni pourquoi vous revenez sans cesse avec vos histoires, et honnêtement, je ne tiens pas à le savoir. Mais ce que je peux vous dire, c'est que vous me faites pitié et que je crains pour votre santé quand vous vous mettez dans des états pareils. Vous devriez faire plus attention à vous et à votre chère Katia. Ne pensez-vous pas qu'elle mérite un peu de paix ?

Le vieillard le fixa en fronçant les sourcils. De sa main osseuse, il tapa l'épaule de l'aubergiste, qui devait faire deux fois son poids.

— Tu es un brave garçon, Lev, je vais donc te donner un conseil… Écoute-moi bien, murmura-t-il en jetant un coup d'œil aux alentours. Prends grand soin de ta femme, car je crois deviner qu'elle donnera très bientôt naissance à votre nouvel enfant.

L'aubergiste opina de la tête, le sourire aux lèvres et la fierté au front.

— Je te le répète, prends grand soin d'elle, car bientôt elle aura peut-être besoin de ta force et de ton soutien. Les Loups sont tapis dans l'ombre, dit-il en fixant la forêt aux limites du village. Ils attendent, mais ça ne saurait être long ! Ils viennent… Ils nous guettent ! Le jour de la naissance de l'enfant, barricadez-vous et n'ouvrez à personne…

— Bonne nuit, père Droski, lança l'aubergiste pour couper court à la conversation. Ne vous perdez pas en route, surtout.

Le vieillard plongea son regard sombre dans celui du jeune tavernier. Une grande inquiétude s'y lisait et, pendant un instant, Lev en fut profondément troublé. Une étrange sensation vint aussitôt se loger dans ses entrailles, un mélange de malaise et d'appréhension.

— À personne, tu m'entends?

Le père Droski lâcha prise avant de s'éloigner en titubant. L'aubergiste le regarda partir tandis que, de l'intérieur de la taverne, quelqu'un lui criait de refermer la porte à cause du froid qui s'infiltrait dans l'établissement.

Le vieil homme devait marcher pas moins de cinq cents mètres jusque chez lui, et ce fut d'un pas vacillant qu'il amorça son retour. Il chancelait, reculait de deux pas pour mieux repartir, se retenait aux branches d'un arbre ou à la clôture de bois d'une maison qu'il dépassait. Quelquefois, il s'arrêtait, se parlait à lui-même, regardait derrière lui et reprenait, hésitant, son chemin. Un vent froid soulevait son manteau et transperçait sa peau maintenant si mince. Le vieillard réajusta tant bien que mal sa *chapka** élimée sur ses oreilles. Des larmes coulaient sur ses joues glacées. Était-ce dû à ce qu'il venait de vivre ou au vent glacial qui lui mordait le visage? Plusieurs fois, il se retourna pour scruter les environs sombres. Troublé, angoissé, il se concentrait sur les bruits ambiants, tendait l'oreille à son environnement. Sans s'en rendre compte, il accéléra le pas lorsqu'il aperçut enfin le haut de la cheminée de sa demeure. Une fumée grise s'en échappait et cette vision le rassura. Il poussa un profond soupir en essuyant de sa main gantée son visage mouillé et froid.

Soudain, un léger craquement le fit se figer dans son mouvement; tout près de lui, il sentait une présence. La peur au ventre, il tourna lentement sur lui-même. Une seule pensée l'habitait : prendre ses jambes à son cou et fuir. Pourtant il demeurait là, tétanisé. La présence, bien qu'il ne la vît pas, se trouvait là, à quelques pas de lui, dans l'ombre opaque d'un immense chêne centenaire, à l'orée de la forêt. Les dernières lueurs du jour s'étaient maintenant estompées et les ombres de la nuit commençaient à émerger du sol et des interstices. Les bois qui cernaient le village de Sokol, qu'il connaissait comme sa poche depuis qu'il était gamin, lui semblèrent soudain plus inquiétants. Jamais au cours de ses soixante-quinze années d'existence cette forêt ne lui avait paru aussi menaçante que ce soir. Il avait la gorge nouée et un violent frisson lui remonta le long de l'échine pour parcourir son maigre corps qui se mit à trembler. Sans rien voir, mais en percevant tout avec une acuité incroyable, il comprit alors qu'un loup le suivait. Il recula de quelques pas, lentement, sans quitter des yeux le coin d'obscurité où il devinait la bête tapie.

Il chercha dans son esprit embué un moyen de se tirer de ce mauvais pas. Devait-il appeler à l'aide? Cette idée le fit sourire bien malgré lui. Qui viendrait porter secours à un vieux qui délirait depuis des années et qui beuglait presque chaque soir dans les rues du village? Personne ne l'écoutait plus depuis longtemps. Nul ne prêterait attention à ses cris. Le vieux fit une moue devant cette triste constatation. Cette expression donna à son visage rabougri l'air de celui d'un guignol et, si la situation n'avait pas été si grave, il aurait été drôle. Il comprenait maintenant que son heure était venue. Un vieux conte pour enfants refit surface dans son esprit troublé, celui de *Pierre et le Loup*. Eh oui, la situation était la même. Il poussa plus loin sa réflexion en se figurant que les restes de son maigre corps seraient découverts les jours suivants, quelque part dans les bois. Car, il le savait, quelques jours passeraient avant que l'on constate sa disparition. Même sa douce Katia, qui avait l'habitude de ses écarts et de ses lubies, ne se soucierait de son absence que bien longtemps après sa mort. Les habitants concluraient cette triste histoire en admettant qu'effectivement, le vieux fou avait toujours eu raison : les loups représentaient bien une menace pour eux et pour leurs enfants.

Un mouvement le tira de ses pensées. Devant lui, une ombre s'élevait. Le pressentiment prenait forme. Un loup à l'épaisse fourrure argent, un chef de meute assurément, se détachait en silence de la pénombre. La lune qui se levait, presque pleine, projetait une lumière opaline conférant à l'animal une aura quasi spectrale. Le père Droski contempla la bête avec fascination, envoûté par sa beauté surnaturelle. Ils se fixèrent ainsi pendant quelques secondes, se mesurant l'un l'autre.

Le vieux fou salua la bête d'un signe de tête, comme on salue son adversaire, ou encore comme on capitule devant sa force absolue, acceptant l'inévitable issue d'un duel perdu d'avance. Les pensées du père Droski s'effaçaient, son esprit ne pouvait plus se projeter dans l'avenir, même proche. C'était la fin.

— Nous nous retrouvons enfin… Je t'attendais depuis si longtemps, en réalité ! Toutes ces années depuis notre dernière rencontre… Tu aurais dû me prendre il y a longtemps de cela, sur cette ferme isolée dans les Carpates… Je suis prêt, marmonna le vieil homme en fermant les yeux.

Le loup le fixa avec attention, immobile et puissant, jusqu'au moment où il s'élança.

CHAPITRE 2

Ferme des Baranov,
à cinq kilomètres au nord-est de Sokol,
deux semaines plus tard

La femme lâcha subitement le pot de lait qui alla se fracasser à ses pieds, répandant ainsi tout son contenu, pour porter ses deux mains à son ventre arrondi. La douleur était intense. Elle s'appuya au cadre de la porte, cherchant de l'aide du regard, car elle comprenait que l'heure était venue. Mais personne ne semblait se trouver dans les environs, si ce n'était, non loin d'elle, la petite Valeria qui jouait tranquillement avec sa poupée de chiffon. La gamine était assise à même les dalles froides.

— Valeria ! appela la femme dans un souffle.

L'enfant, à peine âgée de trois ans, tourna lentement la tête vers sa mère. De magnifiques boucles blondes encadraient ses grands yeux bleu ciel, agrémentant ainsi son visage angélique. Une vraie petite poupée de porcelaine, pure et délicate.

Même ses joues se coloraient de deux ronds rouges qui semblaient y avoir été dessinés.

— Valeria, ma *blokha**, reprit la femme dans une grimace, va chercher papa, vite, ma chérie, c'est très, très important.

La petite se leva, hésitante et perplexe. Elle pressentait bien au ton de sa mère que la situation était grave, et elle regarda autour d'elle sans savoir quoi faire ni où se diriger.

— Il est dans le potager, cours vite, Valia*, cours, ma chérie…, dit enfin la femme en faisant glisser son dos contre le mur pour se laisser choir sur le sol froid.

Sans bien comprendre, la gamine détala aussi vite que le lui permettaient ses petites jambes. Anna plissa son front déjà couvert de transpiration tandis qu'une nouvelle vague de douleur crispait son jeune visage slave, une horrible douleur qui lui déchirait les entrailles. Elle savait que son nouvel enfant allait bien vite arriver, elle reconnaissait parfaitement les signes. Déjà mère de six bambins, elle connaissait son corps. L'enfant serait bientôt là. D'un rapide coup d'œil, Anna regarda vers la porte arrière qui menait au potager.

— Vite, Sergueï, vite, je ne tiens pas à accoucher dans la cuisine…, murmura-t-elle entre ses dents tout en fronçant les sourcils.

Mariée depuis douze ans à Sergueï Baranov, originaire de la région tout comme elle, elle vivait dans la ferme paternelle depuis le début de son mariage. Les premières années n'avaient pas été faciles, mais depuis quelque temps, la vie semblait moins rude pour la famille. La terre était généreuse et les moissons, abondantes, ce qui lui procurait une certaine aisance. Loin d'être riche, Sergueï pouvait tout de même se vanter d'être en mesure de nourrir correctement sa famille et de pourvoir à ses besoins. Ce qui n'était pas le cas de tout le monde en Russie. Certaines clameurs provenant d'autres régions, principalement des grandes villes, transportaient les protestations des ouvriers qui manifestaient leur mécontentement contre le tsar. Les conditions de travail étaient inacceptables, la vie, difficile, les impôts, trop élevés et la censure, oppressante. Plusieurs manifestations avaient été étouffées et les arrestations étaient devenues monnaie courante. La grogne était omniprésente, mais tout cela avait lieu loin du petit village de Sokol et de la campagne environnante, où le calme semblait encore régner et où la vie évoluait au rythme des saisons.

Sergueï passa la porte en courant, accompagné d'Irina, l'aînée. Tous deux aidèrent Anna à se relever pour la conduire vers la chambre à coucher principale. Avec beaucoup de tendresse et d'attention, Sergueï installa sa femme le plus confortablement qu'il le put, si cela était possible lorsqu'on est sur le point de mettre un enfant au monde.

— Je pars chercher la sage-femme, dit-il à Irina. Toi, tu restes ici. Je t'envoie Oleg, dis-lui de s'occuper des autres pendant que tu veilles sur ta mère.

Sans rien ajouter, Serguei disparut aussitôt. Il était à peine quinze heures et déjà le ciel s'assombrissait en ce début du mois de novembre. L'air froid laissait deviner l'arrivée imminente de l'hiver que la neige avait déjà précédé en recouvrant d'une fine couche les champs maintenant endormis. Bientôt, ce serait un épais manteau qui viendrait calfeutrer le paysage et isoler ses habitants des autres contrées. L'hiver en Russie, c'était l'oubli du reste du monde, le repli sur soi-même. Anna attrapa la main de sa fille qu'elle serra avec force.

— Espérons qu'ils reviendront à temps, murmura l'aînée des Baranov en plongeant son regard apeuré dans celui de sa mère.

— Sinon, c'est toi qui vas devoir m'aider à le sortir…, déclara Anna avant de pousser un cri. Les contractions sont de plus en plus rapprochées. Va faire bouillir de l'eau et sors des linges propres de l'armoire. Demande à Oleg de t'aider.

Des deux mains, la femme s'accrocha à l'édredon avant de subir une nouvelle contraction.

La ferme des Baranov se situait dans la contrée de Vologda, à plusieurs jours de route à cheval de Saint-Pétersbourg qui se trouvait à plus de sept cents kilomètres. Cet isolement rendait les échanges avec les plus grandes villes occasionnels. En réalité, bien peu d'habitants de la région se rendaient à Vologda, la ville la plus proche de Sokol, qui se trouvait tout de même à plusieurs heures de marche de là, et encore moins jusqu'à la ville impériale, Saint-Pétersbourg.

Sergueï et Anna y étaient allés la première année de leur mariage pour rendre visite à une tante éloignée, quand il avait été question de l'héritage et du partage de la ferme familiale. Sergueï avait alors annoncé fièrement à sa femme qu'ils y feraient leur voyage de noces. Anna avait ri devant cette proposition déraisonnable et si excentrique. Un voyage de noces! Personne au village n'avait jamais rien fait de tel. Cette fantaisie n'était réservée qu'aux riches! Mais c'était mal connaître son nouveau mari que de penser que cette idée n'était que passagère. Et c'est ainsi qu'il s'était procuré deux malles et qu'Anna avait préparé leurs valises et commencé à envisager avec excitation ce séjour de trois semaines. Pour l'occasion, Sergueï s'était acheté un costume neuf et Anna, une nouvelle robe et un chapeau. Le trajet devait durer trois jours en train, et Sergueï lui avait même dit qu'ils dormiraient dans un wagon-lit réservé rien qu'à eux. «Un vrai voyage de bourgeois!» s'était-elle écriée devant tout ce faste.

Anna repensait très souvent à ces merveilleux moments et à ce fabuleux périple à Saint-Pétersbourg, la ville où résidaient le tsar Nicolas II, la *tsaritsa**

Alexandra et les trois *tsarevna** Olga, Tatiana et Maria Romanova.

Romanov ! Nom mythique s'il en était un. Sergueï et elle avaient toujours eu beaucoup d'admiration pour la famille royale et pour la grandeur de son règne. Le couple était toutefois au fait des rumeurs qui circulaient au sujet de l'impopularité de la monarchie.

Anna se rappelait dans les moindres détails de son séjour dans la ville impériale, de la plus petite odeur aux plus subtiles couleurs. Une ville gigantesque et majestueuse à l'architecture flamboyante, digne des plus belles capitales d'Europe. Une cité faite pour un roi. Un lieu de découvertes et de nouveautés. C'était là que, pour la première fois, Sergueï et elle avaient vu un tramway. Nouvellement instauré dans la métropole impériale, ce moyen de transport tiré par des chevaux desservait jusqu'à trois lignes qui convergeaient toutes vers le centre-ville. Sergueï et elle l'avaient utilisé plusieurs fois, simplement pour le plaisir de déambuler dans la cité et de voir défiler devant eux ses richesses architecturales, sa beauté et celle de ses habitants. Une telle frénésie se dégageait de ces lieux que le jeune couple, insouciant, ne percevait pas toute la gravité des rumeurs qui s'élevaient déjà des bas quartiers. Une rumeur menaçante qui bientôt viendrait secouer les fondations du pouvoir. Mais les amoureux s'abreuvaient et se grisaient des merveilles qu'ils découvraient, sans se soucier le moins du monde de ces manifestations naissantes qui prenaient vie dans les caves humides des maisons mal bâties qui s'entassaient dans les pauvres faubourgs. Une petite misère sans importance ! Le grésillement d'un grillon, seul, un soir d'été.

Une nouvelle douleur se fit sentir, plus intense et plus significative pour celle qui déjà avait mis au monde. Serguéï, bien que parti à cheval, semblait tarder. Anna tentait de toutes ses forces de retenir l'enfant qui cherchait, lui, à sortir à tout prix. Elle jeta un regard à sa fille qui se tenait à ses côtés, visiblement inquiète. La pauvre priait dans un murmure incessant pour que son père arrive rapidement avec la sage-femme. Anna, quant à elle, savait ce qu'elle avait à faire si jamais la tête du bébé se mettait à sortir. Après tout, elle avait l'expérience des accouchements. Mais l'aide d'Irina lui serait essentielle, et sa fille devait prendre sur elle et maîtriser ses émotions.

Sa mère l'attrapa brusquement par le bras.

— Il vient… je ne peux plus le retenir… Tu dois m'aider, maintenant. Tu peux le faire… nous allons y arriver, à deux ! lui lança-t-elle dans un souffle.

Irina, tremblante de la tête aux pieds, courut fermer la porte de la chambre en jetant à son frère un regard terrorisé. Mais la jeune fille comprenait que l'heure n'était plus aux jérémiades et qu'elle devait agir… maintenant. Sa mère avait besoin d'elle, elle ne pouvait fuir devant l'urgence de la situation. Irina inspira un grand coup avant de relever ses manches et de plonger ses mains dans le baquet d'eau bouillante.

Lorsque Sergueï débouia dans la maison avec la sage-femme quelque cinquante minutes plus tard, Anna tenait dans ses bras une jolie petite chose rose emmaillotée. L'enfant était né avant l'arrivée de l'accoucheuse, comme Anna l'avait si bien pressenti.

La sage-femme, qui connaissait Anna depuis longtemps et qui avait mis au monde ses six premiers enfants, en fut peu étonnée. Elle fit tout de même sortir tout le monde, le temps d'examiner la mère et le bébé. Avant de refermer la porte sur Sergueï, elle lui dit sur un ton bourru:

— J't'avais bien dit que nous arriverions trop tard… Le chemin est tracé depuis longtemps maintenant, les petiots n'ont qu'à suivre l'passage jusqu'à la sortie!

Sergueï était en train de serrer tendrement Irina dans ses bras tout en la félicitant de son courage et de son cran lorsque la porte se rouvrit sur la vieille femme qui lui fit signe de venir. Son visage, comme toujours, était austère, ce qui avait pour habitude de gêner les gens, même ceux qui la connaissaient bien. Le père, légèrement intimidé, s'arrêta sur le seuil de la chambre où reposaient sa femme et son dernier-né.

— Nous avons de la chance, ton enfant est bien né, non grâce à ta diligence, mais bien à celle de ta fille qui a su faire face à la situation, maugréa la sage-femme quand il passa devant elle.

— Voici ton fils ! s'exclama Anna dans un resplendissant sourire. Ne fais pas attention à elle, elle rouspète toujours, tu la connais !

Le père accueillit son nouvel enfant dans ses bras tandis qu'un sourire rempli de fierté venait illuminer son visage. L'inquiétude avait disparu, sa femme et son nouveau-né semblaient en pleine santé, les récriminations de la vieille ne pouvaient plus l'atteindre.

— Bienvenue à toi, petit rapide ! Tu avais hâte de nous rencontrer, si j'en crois ce que je vois… Comment allons-nous l'appeler, celui-là ? dit-il en reportant son attention vers Anna. Il faut lui trouver un nom…, ajouta-t-il en se tournant vers ses enfants qui entraient à leur tour dans la chambre de leurs parents.

Et tous souriaient et complimentaient le petit nouveau, ce petit frère qui venait agrandir la famille. Chacun y alla de sa suggestion, et une grande joie accompagna la série de noms que chacun proposait.

— Quelqu'un demande à vous voir, lança rudement la sage-femme en entrant dans la pièce.

Sergueï fronça les sourcils tout en se demandant qui pouvait bien venir à cette heure et se faire ainsi annoncer. Certainement pas un ami ni quelqu'un de la famille qui serait sûrement entré sans prévenir. Il déposa le poupon dans les bras d'Anna qu'il embrassa sur le front. En passant devant la sage-femme, celle-ci lui murmura en l'attrapant vivement par le bras :

— Connais pas, mais m'ont l'air bien mystérieux ! À votre place, me méfierais !

Sans demander plus d'explications, Sergueï, intrigué, sortit rapidement de la chambre en refermant la porte derrière lui. Il enfila l'étroit couloir qui menait vers la cuisine, une vaste et accueillante salle qui tenait lieu de pièce principale de la demeure, comme il était coutume en Russie. Là, dans la pénombre, sur le seuil de la porte, se tenaient trois hommes vêtus de fourrure de la tête aux pieds. Ils portaient de longs manteaux qui descendaient jusqu'aux chevilles et de larges *chapkas* qui cachaient une partie de leur visage. À l'arrivée du maître des lieux, les trois individus ne retirèrent même pas leurs chapeaux, et ce manque évident de politesse inspira au père de famille, sans qu'il sût pourquoi, un mauvais pressentiment. Il sentait que ces hommes n'étaient pas là pour lui demander leur chemin ou l'hospitalité pour la nuit. Une étrange énergie émanait d'eux, emplissant l'air et venant glacer la pièce, malgré le feu qui crépitait dans l'âtre de pierre. Instinctivement, il se redressa pour mieux s'imposer avant de lancer avec fermeté :

— Messieurs ?

— Sergueï Baranov, tonna d'une voix puissante celui des trois hommes qui semblait être le chef, je viens chercher ton fils…

Sergueï arqua les sourcils, visiblement étonné. Pendant une seconde, il ne trouva rien à dire. Il fixait, totalement ahuri, celui qui venait de parler.

— Qu… quoi ? bafouilla-t-il dans un demi-sourire en se figurant que quelqu'un cherchait à lui faire une blague, tout en regardant l'un après l'autre les trois individus qui se trouvaient devant lui.

— Je viens chercher ton fils, répéta l'homme vêtu de fourrure, d'une voix posée mais autoritaire.

— Mon fils ? Mais qu'est-ce que c'est que cette histoire ? Et d'ailleurs, qui êtes-vous ? Qui vous envoie ?

L'inconnu ne répondit pas, comme s'il n'avait pas entendu la question, faisant fi des interrogations du maître des lieux.

— Celui qui vient tout juste de naître, poursuivit l'étranger, toujours sur un ton fort et impérieux.

Le père de famille pencha légèrement la tête sur le côté, comme s'il tentait de comprendre de quoi il retournait exactement. Que lui voulaient ces hommes et qui étaient-ils ? Tout en essayant d'éviter de se départir de son calme et d'ainsi trahir ses appréhensions, Serguéï tenta de mettre encore plus d'autorité dans sa voix.

— Attendez une minute! dit-il en levant la main comme pour les arrêter. Je n'ai pas très envie de m'amuser. Je n'ai pas de temps à perdre avec ce genre de balivernes, je vais donc répéter une nouvelle fois mes questions, car il semble que vous ne m'ayez pas bien compris, et j'attends de vous des réponses, dit-il, avec fermeté cette fois. Suis-je assez clair? Bon, maintenant, vous allez me dire qui vous êtes et ce que vous voulez exactement.

Malgré l'ombre projetée par leurs chapeaux, qui dissimulaient une bonne partie de leur visage, Serguéï sentait très bien que les trois hommes le fixaient avec une grande intensité et cela le mettait de plus en plus mal à l'aise. Mais ce qui déroutait encore plus le père de famille, c'était leur silence profond et inquiétant. Leur présence dans la cuisine, leur attitude et leur énigmatique flegme rendaient la scène vraiment étrange, déconcertante. Serguéï se sentait mal et ce malaise croissant ne faisait qu'alimenter son impatience.

— Par tous les saints! C'est une blague ou quoi? s'écria-t-il soudain en gesticulant. Aaah! Non! Non! J'y suis maintenant, je comprends, c'est Lev… c'est lui qui vous envoie, le filou! Il est jaloux, c'est ça… parce que mon Anna a accouché avant sa femme… Ha! ha! ha! C'est tout lui, ça… J'le reconnais bien là…

Mais les trois étrangers demeuraient imperturbables.

Et Sergueï savait fort bien au fond de lui que ce qu'il venait de dire n'avait rien de vrai. Ces hommes ne connaissaient pas Lev, ni sa femme, ni même personne de la région, d'ailleurs. C'étaient des étrangers, ça se voyait à leur allure et à la qualité de leurs atours. Ces types-là n'étaient ni des fermiers ni des métayers, c'était évident.

Sans comprendre pourquoi, Sergueï, extrêmement troublé, avait l'impression que son esprit s'embrouillait comme s'il ne parvenait plus à réfléchir, comme si quelqu'un ou quelque chose cherchait à accaparer sa pensée. Il secoua la tête avec force pour se contraindre à reprendre ses esprits.

— Bon, messieurs, trancha-t-il, une violence à peine voilée dans la voix, je ne voudrais pas paraître impoli, mais veuillez quitter ma maison, je vous prie…

Sergueï fit un pas dans leur direction tout en désignant de la main droite la porte devant laquelle les trois hommes se tenaient toujours, impassibles.

Pendant quelques secondes qui parurent une éternité au pauvre père de famille, aucun mouvement ne sembla indiquer que les inconnus avaient compris ses paroles. Ce ne fut qu'après cet interminable laps de temps que l'homme qui lui avait parlé, celui qui semblait être le maître de cet énigmatique trio, fit quelques pas pour se retrouver à une très courte distance de lui. Seule la longue table de la cuisine en bois massif les séparait.

— Ton fils, Sergueï Baranov, est promis à un grand avenir. Ce n'est pas ici que sa destinée doit s'accomplir. Tu dois nous le confier.

Cette fois-ci, Sergueï recula d'un pas, comme piqué au vif, réalisant soudain que ses craintes étaient bien fondées. Un grand danger les menaçait, sa famille et lui. Il toisa les visiteurs avant de hurler:

— Sortez immédiatement de chez moi… Oleg, à moi! Des armes!

— Ne nous menace pas, Sergueï, tu ne gagneras rien ici.

L'homme leva alors la main à la hauteur des yeux du père tout en le fixant attentivement et avec calme. Sergueï distingua dans la pénombre du couvre-chef le regard inquiétant de l'inconnu. Deux yeux noirs, si noirs et si profonds que le père de famille en tressaillit. Un regard pénétrant qui cherchait à s'infiltrer dans sa raison comme pour la faire fléchir, mais la volonté farouche de Sergueï de résister à ces hommes lui intimait de tenir le coup. Toutefois, l'homme maintenait son emprise. Son esprit se frayait un chemin à travers les pensées de Segueï et, sans comprendre, celui-ci sentit que sa volonté commençait à faiblir.

Le visiteur contourna lentement la table pour venir se placer à la hauteur du fermier. Il plaça sa main gantée sur l'épaule de ce dernier.

— Ton fils, Sergueï, est voué à une autre existence, et tu ne peux te mettre en travers de sa destinée. Tu dois me le confier. Il ne lui sera fait aucun mal, bien au contraire…

À force de volonté, Sergueï parvint à se dégager de l'emprise de l'inconnu et recula de deux pas.

— Oh! mon Dieu! Vous êtes les Loups du vieux Droski… Il avait raison! Il avait raison! hurla-t-il, le visage soudain transfiguré par la peur.

Mais le mystérieux personnage demeurait silencieux tout en gardant ses yeux braqués sur le père de famille. Son regard avait quelque chose de puissant et de captivant et Sergueï, qui devinait instinctivement que l'inconnu cherchait à dominer son esprit, tentait de l'éviter en regardant avec nervosité autour de lui. Soudain, il eut le sentiment que la situation allait changer lorsqu'il vit Oleg débouler dans la pièce en brandissant une fourche. Le fermier s'en empara aussitôt pour la braquer sous le nez de l'homme qui se tenait toujours devant lui, à moins de trois pas. Mais l'inconnu ne sembla pas se troubler. Du geste sûr et rapide de celui qui connaît l'art du combat, il attrapa d'une main l'instrument qu'il abaissa, tout en maintenant avec force sa position.

— Non, Sergueï, tu ne te serviras pas de cette fourche, car tu sais que je ne te veux pas de mal, ni à toi ni à ta famille. Tu es un homme bon et honnête, et tes enfants ont hérité de ces qualités, particulièrement celui qui vient de naître. C'est pour cela que nous sommes ici. Comprends bien ! Ton fils a été désigné, notre présence chez toi n'est pas un hasard, c'est sa destinée.

— Mais quelle destinée ? hurla Sergueï dans un ultime effort pour repousser l'homme.

Celui-ci secoua doucement la tête, comme si la réponse était évidente.

— La sienne ! Plus grande que celle qu'il aurait en demeurant ici. Plus grande que celle que vous pouvez lui offrir !

À ce moment, Anna, vêtue d'une longue chemise de nuit blanche et d'un long châle de laine, sortit de l'ombre. Elle avait entendu les échanges et elle avait assisté en grande partie aux événements qui venaient de se dérouler dans sa cuisine. Son regard était menaçant et sa figure fermée, à l'opposé de la douceur et de la bonté qu'elle affichait habituellement. Sa légendaire gentillesse avait fait place à l'hostilité.

— Sortez de chez moi ! cria-t-elle avec force en tenant fermement son nouveau-né contre sa poitrine.

Mais le visiteur n'en fit rien, bien au contraire. Il s'approcha d'elle et l'enveloppa aussitôt de son regard puissant. Leurs yeux se rencontrèrent et aussitôt le Loup pénétra son esprit. La respiration de la femme se fit plus rapide.

Sergueï, qui avait échappé à l'emprise de l'inconnu, reprenait tranquillement ses esprits.

— Non, non, pas mon enfant… pas mon enfant…, se lamentait Anna sans rien pouvoir faire.

La fatigue des dernières heures avait eu raison de sa maigre résistance. Anna était évidemment incapable de s'opposer à la volonté de cet homme.

— Tu ne peux ignorer son avenir, Anna Baranova*, c'est un Loup. Il a été choisi !

Dans un ultime effort, en désespoir de cause, le père se dressa entre le mystérieux personnage et sa femme. Sergueï piqua alors sa fourche sous le menton de l'inconnu et le temps fut suspendu pendant de longues secondes. Derrière l'homme, ses deux compagnons réagirent prestement en dégainant pour le premier un sabre français et pour l'autre un fusil qu'ils brandirent presque dans un même mouvement vers le père de famille. Mais leur chef levait déjà la main pour leur intimer l'ordre de ne pas intervenir et de baisser leurs armes.

— Arrière, mes amis, arrière ! recommanda-t-il sur un ton qui se voulait toujours maîtrisé.

Malgré la menace, l'inconnu ne semblait nullement inquiet.

Les trois dents de la fourche étaient pourtant pointées vers sa chair, et un simple tressaillement de sa part aurait suffi à lui transpercer la peau. Dans l'action, sa *chapka* bascula, laissant enfin apparaître son visage. Une figure jeune et dépourvue de méchanceté, contrairement à ce qu'avait laissé présumer la profondeur sombre de ses yeux. L'homme n'était âgé que d'une vingtaine d'années. Sergueï en fut légèrement décontenancé, étonné de découvrir ses traits affables et son air juvénile. Mais sa raison reprit aussitôt le dessus. Il fit un petit mouvement, comme pour accentuer sa menace, tout en dévisageant celui qui cherchait à lui prendre son enfant.

— Je vois enfin ton visage, sale voleur d'enfants, je sais maintenant à qui j'ai affaire. Toi et tes hommes, vous allez quitter les lieux sur-le-champ pour ne jamais revenir dans la région… et aucun mal ne vous sera fait…

Mais l'inconnu ne paraissait pas affecté par les menaces de Sergueï et, malgré les pointes de la fourche qui lui titillaient la gorge, il renoua, imperturbable, son esprit à celui du fermier. Cette fois-ci, il se passa quelque chose entre eux. Leurs regards fusionnèrent et Sergueï se mit à trembler de tout son être. Une violente douleur lui vrilla soudain le corps et l'esprit. Le visiteur releva légèrement le menton pour dégager sa gorge de la fourche et, de sa large main, il en attrapa le manche qu'il arracha des doigts de Sergueï avant de projeter l'outil au sol.

Il le maintenait désormais sous son joug. Serguëi se mit à crier de douleur en se tenant la tête. Au fond de son être, il sentit que la force de l'inconnu était terriblement grande, supérieure à sa raison, à sa volonté. Il ne parvenait plus à réfléchir. Quelque chose de plus fort que lui anéantissait sa détermination. Son cerveau ne répondait plus à ses ordres, mais bien à ceux de celui qui en avait pris possession. Une grande peur s'infiltra en lui et il lui sembla alors que sa raison défaillait. Sa conscience s'assombrit, tandis que la douleur, elle, s'atténuait. Sans qu'il le commande, sans pouvoir contrôler son propre corps, Serguëi tomba à genoux, se soumettant ainsi à la volonté de l'étranger.

Le Loup demeura quelques secondes à observer le père de famille. Non pas qu'il prît plaisir à le voir ainsi humilié à ses pieds, mais il cherchait plutôt à lui faire comprendre toute la force dont il était capable.

— Je ne suis pas votre ennemi, mais comprenez-moi bien : si je le veux, je peux vous anéantir. Ne compliquez pas les choses et, surtout, ne cherchez pas à vous mettre entre les forces de notre organisation et ce petit, vous le regretteriez amèrement. Pensez à votre famille, à vos autres enfants !

Le père, réduit à l'impuissance et toujours agenouillé, dévisageait l'étranger ; ses yeux exprimaient toute l'incompréhension et la terreur qu'engendraient la présence de ces hommes chez lui et leur abominable demande. Les larmes troublaient sa vue devant cette invraisemblable histoire.

Mais qui étaient donc ces hommes? Qui les avait informés de son nom et de celui de sa femme? Comment avaient-ils appris la naissance de leur fils, qui venait tout juste de voir le jour? Personne n'était au courant, puisque personne n'avait quitté la maison. Comment avaient-ils pu connaître l'heure de la délivrance? Rêvait-il? Des milliers de questions se pressaient dans son esprit captif. Il tenta de les chasser pour revenir à la scène qui se déroulait là, chez lui, sous son toit, mais toutes ses pensées se brouillaient.

Trois hommes venaient de débarquer pour lui ravir son enfant et il était incapable de les en empêcher. Il était sous leur entière domination et il le savait; même sa femme et Oleg ne réagissaient pas. Comment cela était-il possible? Quel était ce prodige? Qui étaient ces hommes étrangement vêtus comme des bêtes? Des enchanteurs, des sorciers, à n'en pas douter. Des envoyés du diable. Non. Cet inconnu, celui qui semblait être le chef, était en vérité le diable en personne!

— Mais vous n'avez pas le droit! sanglota-t-il. C'est mon enfant, notre enfant, tenta encore une fois le père de famille.

— Votre enfant! Oui, oui, c'est un fait, vous êtes bien ses parents et personne ne pourra jamais vous ravir ce titre, mais songez à lui et non à vous! lui dicta doucement l'homme qui rajustait son chapeau que lui tendait un de ses acolytes, qui venait de le ramasser. Songez à son destin et non à vos droits sur lui. Il est de votre chair, certes, mais son existence ne vous appartient pas. Vous n'êtes que le creuset dans lequel sa vie s'est développée, mais sa destinée ne dépend plus de vous. Il doit prendre un autre chemin que celui que vous pourriez tracer pour lui. Comprenez bien que jamais vous ne pourrez vous mettre entre lui et son avenir. Vous devez l'accepter. Votre fils doit partir pour un autre monde, pour une autre vie. Si vous acceptez cette réalité, votre propre vie en sera d'autant moins bouleversée!

Le fermier secouait la tête en signe de désapprobation. Il ne comprenait rien à cet horrible cauchemar. Pourtant, il essayait de toutes ses forces. Mais il sentait bien que sa volonté était presque totalement dissoute, même s'il refusait de l'admettre. L'esprit de l'inconnu était le plus fort, et tranquillement il sentit que son esprit abandonnait la bataille. Une force invisible avait entièrement pris possession de sa raison et de son être. Il baissa enfin la tête, soumis et totalement épuisé, tandis qu'Anna, à ses côtés, éclatait en sanglots devant cette évidente résignation. La partie était perdue.

Dans un ultime effort, Oleg ramassa la fourche tombée non loin de lui pour la braquer de nouveau vers l'inconnu. Ses yeux se noyaient dans ses larmes, mais il tenait l'inconnu en respect. Du moins, il essayait. Mais le gamin, à peine âgé de onze ans, tremblait de tout son être. Le Loup fixa attentivement l'aîné des garçons de la famille Baranov.

— Ton père doit être extrêmement fier de toi, Oleg, car tu es un garçon rempli de courage et de détermination, mais je sens aussi que tu es incapable de faire le mal. Dépose cette arme! clama le chef avec autorité.

Le garçon en pleurs, incapable de soutenir le regard de l'homme, laissa retomber la fourche. Sergueï accueillit son fils dans ses larges bras. Une puissance invisible muselait la maisonnée, retirant aux occupants de la fermette toute volonté de combat. Le père de famille reporta son regard malheureux vers l'inconnu, tandis que celui-ci déposait une lourde bourse en cuir sur la table. Une aumônière remplie de roubles d'or.

— Ceci ne remplacera jamais votre enfant, j'en suis tout à fait conscient…

Sous le regard terrorisé d'Anna, le visiteur, sans rien ajouter, prit délicatement mais résolument l'enfant de ses bras. Impuissante et encore trop faible, Anna s'effondra aussitôt, inconsciente.

Les événements qui suivirent se déroulèrent sans un cri ni un mot, dans une étrange ambiance. Même le feu dans la cheminée semblait soudain manquer de vie. Le malaise emplissait la cuisine, le malheur était palpable et le froid s'insinuait dans les âmes.

L'homme fit un signe discret à ses deux complices qui se tenaient prêts à partir. Avant qu'ils ne passent définitivement la porte, Serguéï prononça d'une voix anéantie :

— Il faut lui donner un nom…

L'homme s'arrêta et le regarda un instant avant de poser les yeux sur l'enfant qu'il tenait fermement dans ses bras. Il reporta son regard vers le père accablé, avant de lui répondre :

— Viktor ! Il portera le nom du triomphe.

Ce furent ses dernières paroles. Dans un même mouvement, les trois ombres quittèrent la maison, tandis que déjà un profond et lourd silence se répandait dans toutes les pièces.

Au loin, le hurlement d'un loup se fit entendre, venant rompre le silence et glaçant le sang des résidants de la ferme.

Serguéï, submergé de douleur, se laissa aller à sa peine pendant de longues minutes. Les flammes dans l'âtre étaient presque éteintes et seules les braises diffusaient une très faible lumière dans la pièce maintenant plongée dans l'obscurité. Les pleurs du père de famille prenaient une sonorité basse et ténébreuse qui ressemblait à une longue lamentation, comme la plainte du vent qui s'engouffre dans des cavités.

Épuisé, Sergueï se pencha finalement sur sa femme, toujours évanouie, pour la prendre dans ses bras et la mener vers leur chambre. Oleg, secoué et anéanti, les suivit comme l'enfant qu'il était, sans rien dire. Sergueï déposa délicatement Anna sur le lit défait, alors qu'elle reprenait tranquillement ses esprits. Avec délicatesse, il replaça quelques mèches de ses cheveux blonds, tandis qu'elle ouvrait lentement ses magnifiques yeux bleu ciel pour le contempler. Son regard était doux. Elle se redressa soudain en réalisant que son nouveau-né ne se trouvait pas à ses côtés. Sans rien dire, elle porta ses yeux remplis d'inquiétude vers ceux de son mari et comprit en voyant son visage. Elle hurla. L'œil complètement hagard, comme si elle ne pouvait encore concevoir ce qui venait de se passer, elle dévisagea Sergueï. Puis, tel un animal sauvage, Anna bondit de son lit, l'œil fiévreux. Emportée par la folie, elle défit son grabat, jetant au sol les draps froissés, les couvertures et les oreillers. Elle alla jusqu'à farfouiller dans les linges souillés accumulés dans un panier, comme si elle espérait découvrir là, dans un endroit aussi improbable, son petit.

Sergueï tenta de la calmer, mais elle se débattit, rugissant comme une bête. Elle le repoussa avec violence pour sortir de la chambre en courant. Pieds nus sur les dalles froides, Anna s'élança vers la mansarde où dormaient habituellement les enfants. Quand elle arriva à l'étage, échevelée et le regard empreint de folie, ce fut pour découvrir la sage-femme qui cherchait à consoler les plus jeunes, regroupés autour d'elle. Irina se tenait là, elle aussi en pleurs. Anna revit alors comme dans un rêve ce qui venait de se dérouler quelques instants auparavant. Tout lui revint en mémoire. Un long cri marqua soudain toute sa compréhension, et elle s'abandonna en secouant la tête, avant de se laisser tomber sur les genoux. Toute sa force et toute sa volonté de vivre venaient d'être submergées par la douleur qui la frappait en plein cœur et au creux de son ventre.

Sergueï s'approcha d'elle pour la calmer, mais, dans un accès de folie, elle le frappa violemment de ses poings à plusieurs reprises tandis que son mari tentait de l'arrêter. Elle finit par se modérer, à bout de forces. Le mari cala alors la tête de sa femme dans le creux de son épaule, puis la berça. Les deux époux étaient en larmes. Il entonna une berceuse, tout en caressant ses cheveux en pagaille pour tenter de l'apaiser, de s'apaiser. Leurs larmes s'entremêlaient et leur douleur s'y noyait.

Le père de famille savait que la vie ne serait plus jamais la même. Les prochains mois allaient être terribles. Il leur faudrait apprendre à accepter la réalité, mais Anna parviendrait-elle à oublier que les Loups venaient de lui ravir son nouveau-né? Se remettait-on d'un tel drame? Non, et il le savait. Le père Droski, lui, n'en avait jamais été capable, il le comprenait maintenant si bien. Durant toutes ces années, le vieux avait traîné sa peine alors qu'il ne s'agissait même pas de son propre fils. Comment allaient-ils réapprendre à vivre avec cette nouvelle réalité ? Devait-il partir à la recherche de ces hommes et leur reprendre ce qui leur appartenait ?

Sergueï continua de fredonner sa comptine, mais son esprit, lui, galopait. Il réfléchissait à ce qui venait de se passer, tout en tentant de comprendre. Mais aucune explication acceptable n'émergeait de ce drame et pourtant il devait y en avoir une. Qu'allait-il répondre à sa femme, à ses enfants, aux autres, quand tous allaient lui demander pourquoi il ne s'était pas battu pour arrêter les voleurs ? Comment expliquer que celui qui se trouvait devant lui à ce moment-là avait manifesté une telle puissance que Sergueï n'avait rien pu faire ? Une puissance, une force occulte qu'il avait été incapable de combattre. Jamais l'homme n'avait démontré la moindre force physique, non, cela s'était déroulé sur un autre plan. Au niveau de l'esprit. Son emprise avait été totale.

Les pensées de Sergueï se portèrent encore une fois vers le père Droski. Il revit clairement le vieil homme dont on venait tout juste de retrouver les restes. Ses paroles, ses mises en garde lui revenaient maintenant à l'esprit ; le père Droski disait donc vrai. Sa fable était réelle. Les Loups étaient venus lui enlever son enfant.

Il ne comprenait pas, il ne se comprenait plus. Il s'était pourtant dit, la première fois qu'il en avait entendu parler à la taverne, que jamais personne ne pourrait lui prendre un de ses rejetons. Il n'était pas né, celui qui parviendrait à lui ravir son enfant. Il se souvint avoir ri du vieillard avec ses copains. Comme ils s'étaient moqués de lui tout au long de ces années, sans chercher à comprendre, sans prêter attention à ses élucubrations ! Il avait même clamé haut et fort, la dernière fois qu'il avait vu le vieux Droski vivant, alors que ce dernier venait tout juste de quitter l'établissement, qu'il ne fallait pas être un homme pour laisser quelqu'un s'en prendre à sa famille. Ces paroles lui revenaient maintenant en mémoire, comme un écho martelant son esprit encore embrouillé. Il tourna la tête vers la fenêtre de la mansarde. Pourtant, ils étaient bien venus et ils étaient repartis avec son fils sans qu'il puisse rien faire pour les arrêter.

Son enfant ! On était venu lui prendre son bébé. La puissance de ces forces invisibles était parvenue à faire plier sa détermination. Comme si une entité surnaturelle lui avait imposé ses propres volontés. Il avait ressenti une telle douleur envahir sa tête qu'il avait été incapable de bouger. Comment cela était-il possible ? C'était inconcevable et il le savait.

Il resserra ses bras puissants autour du corps tremblant de sa femme, et tous deux demeurèrent ainsi prostrés pendant de longues heures. La nuit et le froid avaient envahi les lieux. Personne ne parlait, ne bougeait depuis de très longs instants. Tous demeuraient là, abattus, totalement paralysés par les événements. Même la sage-femme qui avait toujours quelque chose à dire était accablée et silencieuse. Elle avait été le témoin de ce qui venait d'arriver et jamais, elle le savait, elle n'oublierait ces événements.

La petite Valeria vint enfin se nicher contre eux, triste elle aussi de la disparition de ce petit frère qu'elle ne connaissait pas. Elle ne comprenait pas, bien sûr, ce qui venait de se passer, mais elle captait entièrement le malheur qui frappait les siens. Plus tard, quand elle songerait à ce jour funeste, ce serait toujours avec une profonde tristesse et un immense sentiment de vide. Un vide qui demeurerait pour les Baranov impossible à combler, comme une séquence interrompue. Un vide qu'elle chercherait toute sa vie à remplir pour ses parents, pour sa famille et pour elle-même. La petite n'oublierait pas ce petit frère qu'on venait de lui prendre.

L'inconnu plaça l'enfant contre lui dans son manteau de fourrure qu'il referma soigneusement. Il fit un signe à ses acolytes et aussitôt les trois hommes sur leur cheval disparurent dans la nuit tombante. En quelques secondes, un calme oppressant vint se glisser dans la petite clairière où se trouvait la ferme des Baranov. Quelque chose dans ce décor bucolique avait changé. Une empreinte invisible avait marqué le paysage qui ne serait plus jamais le même. Des flocons de neige commencèrent à voltiger autour des arbres, recouvrant le sol d'un léger duvet. La pénombre engouffrait les pas des chevaux et un fin tapis blanc couvrait leurs traces, comme pour effacer l'horrible scène qui venait de se jouer. L'hiver s'installait et, avec son arrivée, s'annonçaient de longues nuits de froidure.

Chapitre 3

Monastère Ipatiev

— Il ne manque qu'Arkadi et Vorotov et nous aurons notre relève ! s'exclama d'une voix de baryton un homme à la stature imposante, qui se tenait droit comme un «i» malgré son âge avancé.

Assis dans un haut et large fauteuil de velours grenat, il scrutait la nuit à travers le vitrail d'une fenêtre à meneaux, comme s'il attendait quelque chose ou quelqu'un.

— En effet, ils ne devraient plus tarder, le rassura son conseiller. Je sais que l'enfant de Sokol est né il y a quatre jours de cela. Nous attendons leur arrivée sous peu, Grand Maître Gregori. Quant au Louveteau de Narva, nous n'avons pas encore eu de ses nouvelles, mais ça ne saurait tarder.

Le patriarche avait toujours le regard tourné vers l'extérieur, mais grâce aux deux bougeoirs qui se trouvaient là, il voyait fort bien, dans le reflet de la vitre, celui qui lui répondait : son fidèle Iakov, son bras droit, son confident et ami. Ils se connais-saient depuis si longtemps maintenant, des siècles, pourrait-on croire en évoquant leur vie commune. Élevés ensemble, ils avaient été de jeunes Louve-teaux faisant eux aussi partie de la relève. Gregori avait réussi l'épreuve de la Force, tandis qu'Iakov, y échouant, était devenu frère lai*. Mais jamais cette différence hiérarchique n'avait entravé leur longue amitié. Ils avaient toujours su respecter et apprécier l'autre. Cela remontait à si longtemps, maintenant. Bien des choses s'étaient passées depuis.

Le monde était en pleine mutation, et les chan-gements étaient si nombreux qu'il devenait parfois difficile de maintenir ses idéaux en place. Il arrivait de temps à autre à Gregori de s'interroger sur le bien-fondé de leur ordre. Avait-il encore sa place dans l'histoire et dans son héritage ? L'avenir de la Russie, sa mémoire et ses chroniques dépendaient-ils encore des Loups ?

— Je me sens vieux, cher ami… et je sais que le temps m'est maintenant compté. Il ne me reste plus beaucoup d'années à passer sur cette terre.

L'homme leva la main comme pour interrompre son interlocuteur qui s'apprêtait manifestement à contredire cette affirmation.

— Oui, oui, je sais ce que tu vas me dire. Je t'entends penser, mon vieil ami, mais ne sois pas triste. Je t'avouerai que je suis serein à l'idée de partir enfin après de si longues années de garde…

Notre mission n'est pas de tout repos, tu le sais tout aussi bien que moi. Je crois, très honnêtement, que j'ai fait ma part. Il est temps de passer le flambeau, ne crois-tu pas?

Le vieillard marqua une pause. Ses yeux d'un gris cendré se fermèrent un moment. Il était las de se remémorer ce long parcours. Après quelques instants de silence, il reprit la parole pour demander:

— Je sais, Iakov, qu'il n'est pas coutume de parler du successeur et je ne cherche pas à savoir qui prendra ma place… Mais dis-moi, mon ami, la présélection avait lieu il y a quelques jours maintenant. De ces candidats, y en a-t-il un qui possède les qualités nécessaires pour prendre la charge de Grand Maître des Loups et voir à l'accomplissement de notre lourde tâche?

— Prieur, jamais personne ne pourra vous remplacer…

Le vieil homme secoua la tête, amusé.

— Oui, oui, je sais, je sais et je ne suis pas encore mort, n'est-ce pas? compléta le vieux sage dans un demi-sourire rempli de sympathie. Mais, Iakov, réponds simplement à ma question, au nom de notre amitié. De ces postulants, lequel a les attributs essentiels pour préserver notre confrérie et la guider dans ses devoirs?

Le conseiller demeura muet, hésitant un peu trop longtemps au goût du patriarche qui saisissait dans ce silence bien plus que ce qu'auraient pu lui transmettre de vaines paroles. Les réticences d'Iakov étaient si éloquentes que Gregori les percevait même dans le reflet du carreau. Non pas que le conseiller cherchât à éviter de répondre aux interrogations de son maître et ami, ça, le prieur n'en doutait pas. Mais il ne savait tout simplement pas quoi dire, ou plutôt comment le formuler.

— Vas-y, n'aie pas peur…, l'encouragea Gregori. Tu peux tout me dire, tu le sais… Les portes sont closes et nous sommes seuls. Cette conversation ne quittera jamais cette pièce ; elle mourra sitôt qu'elle franchira tes lèvres. Vide ton cœur et ton esprit, tu vois bien que ton silence m'inquiète…

Le second fronça les sourcils comme s'il soupesait encore la question. Iakov triturait nerveusement les replis de sa manche. Depuis qu'il était gamin, cela avait toujours été sa façon à lui d'exprimer son malaise, et Gregori le savait. Il contempla la main décharnée de son compagnon, attendant en silence que celui-ci se décide enfin à parler. Après quelques longues secondes de réflexion, le conseiller se lança :

— Je crois honnêtement — et ceci ne reflète que ma propre perception, je tiens à le préciser — que parmi les candidats sélectionnés pour vous succéder, aucun n'a l'étoffe de devenir Maître des Loups. Je pense que nul n'a de motivations suffisamment honnêtes pour reprendre la charge de Grand Maître de l'ordre…, laissa-t-il tomber avant de reprendre, en baissant la voix : « Et il y en a un, particulièrement, que je soupçonne de jouer un double jeu. Il n'est pas franc, son âme n'est pas pure… Il ne m'inspire pas confiance ! »

Le patriarche avait reporté son attention sur le reflet de son conseiller dans la vitre. Il hochait la tête par à-coups, attentif et inquiet.

— Tu penses que la confrérie ne sera pas entre bonnes mains ?

— J'en suis persuadé… Ces aspirants au titre n'ont pas, disons, le feu sacré ! Et celui dont je vous parle m'apparaît comme un faux partisan ! Il fait semblant d'y croire, mais en réalité, il n'éprouve aucun intérêt pour la démarche.

Iakov secoua légèrement la tête, par dépit.

— Et tout comme les autres, il ne mesure pas l'importance de notre fonction dans l'histoire de ce pays. Du moins, c'est l'impression que j'ai. Je doute profondément du sérieux de ces candidats.

— Hmm, hmm ! Celui qui ne t'inspire pas confiance, est-ce que tu doutes de ses compétences en tant que bon Chef de meute, ou de lui personnellement ?

— De lui personnellement.

— Tu crois qu'il n'est pas apte à mener à bien la mission à laquelle nous sommes voués depuis notre prime enfance ? Peut-être ne comprend-il pas totalement la nécessité et le bien-fondé de notre confrérie !

Iakov hésita avant d'ajouter :

— Non, Gregori ! Je pense qu'il est tout à fait conscient de ce qu'est notre confrérie et de sa nécessité d'exister. Ce n'est pas dans ce sens-là que j'ai des doutes. Je soupçonne plutôt cet homme d'agir pour son propre compte, je crois qu'il n'est pas intègre, qu'il n'est pas totalement dévoué à notre cause. Il cache quelque chose. Il est si... énigmatique !

— Hmm, hmm !

Le prieur hésita un instant. De son index droit, il tapota le rebord de son siège.

— Et quel est le nom de cet homme que tu trouves indigne à reprendre la charge ? demanda-t-il enfin.

— Raspoutine-Novyï*, répondit aussitôt son ami.

L'heure n'était plus aux hésitations maintenant que les portes étaient entrouvertes sur les confidences.

Gregori ferma les yeux, comme si entendre ce nom lui était pénible. Il avait longuement prié pour que le susnommé ne se retrouve pas sur la liste de ses successeurs potentiels. Il retint un profond soupir qu'il laissa échapper par petits souffles pour ne pas transmettre à son ami ses inquiétudes et sa déception. Gregori ne connaissait pas personnellement Raspoutine, mais il savait, il avait vu dans les astres que cet homme ne devait pas se retrouver avec une autorité telle que la sienne entre les mains. La fonction de Grand Maître des Loups s'accompagnait d'un pouvoir immense, tant ésotérique que matériel, et celui-ci ne devait pas être transmis à n'importe qui.

Le conseiller ne put voir le déchirement intérieur du patriarche puisque ce dernier venait de tourner son corps de trois quarts vers la fenêtre.

— Et ce Raspoutine-Novyï ne t'inspire pas confiance, me dis-tu ? reprit Gregori dans un murmure.

Sa question prenait davantage le ton d'une affirmation que d'une interrogation, et cela, le vieil ami le perçut avec netteté.

Iakov répondit d'un simple signe de tête.

— Il a cependant été présélectionné par la Chambre des douze*…, enchaîna le vieil homme, tout en cherchant à taire ses appréhensions.

— Oui, Gregori, mais sa demande n'a pas fait l'unanimité ! Il était toutefois trop tard pour la rejeter. Lorsque son nom fut déposé, l'inscription légale de candidature se terminait, comme si l'annonce *in extremis* de cette nomination avait été volontaire, afin d'éviter tout débat concernant le postulant. Et une fois la nomenklatura établie, nul ne peut rejeter une inscription. Les membres ont ainsi dévoilé le choix de Raspoutine comme éventuel prieur, mais sa mise en lice fut, somme toute, très serrée. Or, nous savons que dans notre système de scrutin, nous ne procédons pas à un second tour. La première élection est aussi la seule, c'est ainsi fait… Entre nous, j'ai toujours trouvé cette pratique idiote, mais qui suis-je pour remettre en question onze siècles de tradition? Et cela joue certainement dans cette étrange proposition de candidature, d'autant que le vote est anonyme… donc, personne ne peut être soupçonné de manigance. Mais on peut, bien entendu, se demander si le vote est vraiment secret pour tous.

— Que sous-entends-tu, Iakov? Douterais-tu de quelque membre du clan? Crois-tu que le vote a été truqué ou, plus exactement, influencé? La Chambre des douze est depuis toujours constituée des plus anciens Loups de la communauté. Leur loyauté n'est plus à démontrer…

Le conseiller fit quelques pas dans la pièce, passant sa main sur sa tête dégarnie. Il devait faire attention à ses paroles, car bien que Gregori fût un ami, il n'en demeurait pas moins et avant tout le patriarche. À ce titre, il avait tous pouvoirs. Commérer sur ses pairs était très mal vu au sein de la confrérie, et le Maître pouvait condamner un tel acte, jugé diffamatoire.

— Oui, bien sûr… Je n'irais pas jusqu'à dire cela, reprit-il, mais disons que c'est la première fois que je vois une sélection aussi peu assurée, comme si une certaine influence avait divisé en deux le clan, qui a presque fait fi des autres postulants. Presque la moitié des Loups ont voté contre la candidature de cet homme…

— Oui, mais l'autre moitié a voté pour… Et c'est ainsi que nous procédons depuis des siècles. Ce Raspoutine-Novyï sera peut-être le prochain Grand Maître, que cela plaise ou non ! Malheureusement ou heureusement, je ne serai plus ici pour vérifier si tes doutes étaient fondés, car lorsque le prochain prieur prendra le commandement de l'ordre, je serai mort ! Je te laisserai donc seul, mon cher ami. Si cet homme est choisi, ce sera à toi que reviendra la charge de le guider avec sagesse, puisque je crois savoir que tu as été réélu comme conseiller en chef. Ton esprit avisé, ton expérience et ta perspicacité aideront le prochain Grand Maître dans son cheminement.

— Encore faudra-t-il qu'il tienne compte de mes suggestions ! lança Iakov sur un ton morne en haussant les épaules.

Percevant sans pourtant le voir le regard réprobateur de son maître, il ajouta :

— Aujourd'hui, les gens sont plus indépendants, ils refusent toujours quelques bons conseils !

Le patriarche se tourna vers lui.

— Tu devras y voir, Iakov, c'est ton rôle ! Si les intentions du Maître des Loups ne vont pas dans le même sens que celles de notre confrérie, il devra être exclu. Tu connais les règles : « Obéissance,

Dévotion et Discipline », et il te revient de les faire respecter. Ce Raspoutine que je ne connais pas a, je le sais, bien vite gravi les échelons de notre organisation. Quelque chose me dit que son ascension fulgurante n'a rien de très réglementaire. Par prudence, notre système est érigé pour maintenir un certain anonymat de ses membres, il est donc impossible de savoir grâce à qui il a pu s'infiltrer parmi nous et parvenir à s'élever jusqu'au degré de Chef de meute. Tu devras le surveiller. Mais pour être franc, Iakov, je crains tout comme toi que cet individu cache réellement ses intentions. Son arrivée au sein de notre organisation est si étrange, comme si personne ne savait par quelle porte il était entré. Et pourtant, quelqu'un de l'intérieur l'a introduit, il ne peut en être autrement… Il faut être avalisé pour entrer dans notre ordre… Pourtant, nous ne connaîtrons jamais le nom de son parrain, c'est une de nos lois.

Ces commentaires tenaient plus de la réflexion que d'un véritable avis, et Iakov les approuvait en opinant légèrement de la tête. Les deux hommes se comprenaient parfaitement et il en avait toujours été ainsi entre eux.

— Que sait-on au juste de cet homme ? demanda encore le vieux sage.

— Bien peu de choses, en réalité. Il est né dans un village de Sibérie en 1869. C'est un mystique, certains affirment qu'il est un *staretz**.

— Mais tu n'y crois pas ? fit Gregori, le regard légèrement teinté de malice.

— Pour être franc avec vous, je ne peux me prononcer, car je n'ai jamais constaté ni eu quelque preuve de ses soi-disant «dons» ou de quelconques «visions». Sur cet homme circulent des rumeurs incroyables, dont une très particulière concernant sa venue au monde. On prétend que, le jour de sa naissance, une météorite aurait traversé le ciel de son village, annonçant ainsi la venue d'un être exceptionnel.

— Hmm, hmm ! C'est vrai qu'avec de telles prémices, quiconque peut se voir attribuer des dons extraordinaires.

Iakov sourit.

— C'est un homme qui dégage beaucoup de magnétisme et qui envoûte ceux qui le croisent. Je suppose que cette aura contribue à sa légende. Mais quelque chose détonne dans cette image de saint qu'il cherche à projeter. Personnellement, je n'y crois pas.

Le conseiller se déplaça sur le côté sans but précis, manifestant ainsi son embarras.

— Il prétend avoir eu une vision lorsqu'il était plus jeune, enchaîna-t-il. La Vierge lui aurait dit qu'il devait prendre la route, tout quitter pour aller conseiller le tsar.

Gregori, jusqu'ici attentif, tiqua sur ces derniers mots. Il ne releva cependant pas. Son esprit semblait se perdre dans la contemplation de la bague qu'il portait à l'index gauche. Iakov poursuivit ses explications sans même remarquer le sourcillement de son maître.

— Ce qu'il fit aussitôt. Il quitta sa famille et ses amis pour aller s'enfermer dans le monastère Saint-Panteleimon situé, comme vous le savez, sur le mont Athos, en Grèce, afin de mieux s'investir dans la religion orthodoxe. Il prétendait alors chercher l'illumination. Son besoin de recueillement avait guidé ses pas vers ce lieu de communion. Par la suite, il quitta sa retraite pour partir sur les routes aux quatre coins du monde, qu'il parcourut pendant de très longues années. Nous ignorons réellement quelles furent ses activités durant tout ce temps. Ce fut quelque dix ans plus tard que Raspoutine réapparut en Russie et acquit alors sa réputation de sage et de guérisseur… J'avoue que j'ignore sur quoi reposent ses fameux miracles de guérison, puisque aucune trace tangible n'en subsiste. Ces prodiges sont, selon moi, des rumeurs basées sur quelque artifice et sur la personnalité énigmatique de cet homme. Quoi qu'il en soit, ce Raspoutine véhicule, sciemment ou non, un grand mystère. Mais, je parierais volontiers sur le fait que ce moine maintient habilement et volontairement cette impression sur les gens. Ça le rend… « intouchable » !

Gregori ne releva pas la dernière affirmation de son conseiller. Il semblait soucieux.

— Corrige-moi si je me trompe, Iakov, mais je ne me rappelle pas avoir reçu ce Raspoutine lors de son initiation… Quand est-il entré dans la confrérie au juste, à quel âge ? Tu me dis qu'il a une famille, qu'il a quitté la Russie pendant plusieurs années. Il est donc nouveau chez nous ?

— C'est vrai ! Son admission chez les Loups est très récente. Il a été initié et parrainé par un Chef de meute. Selon ce que j'ai appris lors de son intégration, Raspoutine aurait fait la preuve de ses facultés de guérison devant le comité de sélection. Son mysticisme doublé de ses facultés ont joué un rôle crucial dans son admission. Mais lorsque j'ai demandé plus de détails, personne ne semblait apte à m'en fournir.

— Et quand a-t-il été reçu ? Il est extrêmement rare qu'un candidat soit admis à l'âge adulte.

— Il y a deux ans maintenant.

Le patriarche eut un bref mouvement arrière du torse, manifestant ainsi toute la surprise que lui causait une telle annonce.

— Deux ans, dis-tu ?

— Oui, bientôt trois pour être précis.

— Hmm ! Deux ans, en voilà une chose surprenante…, murmura Gregori pour lui-même. C'est un très court laps de temps, en effet, reprit-il d'une voix plus forte. Il a bien vite gravi les échelons de notre ordre… C'est assez peu courant ! En réalité, je n'ai aucun souvenir qu'une telle chose se soit produite avant.

Le prieur était songeur. Son regard gris cendré exprimait son inquiétude.

— Dis-moi, Iakov, je suis si vieux maintenant et ma mémoire se fait paresseuse. Rappelle-moi son entrée dans la confrérie. Je ne me souviens toujours pas de sa venue ni même de sa formation ! Tu me parles de lui, mais aucun souvenir ne me vient à l'esprit. J'ai vu tant de novices au fil des décennies…

— Oui, maître ! Rappelez-vous, vous l'avez rencontré lors de la sélection des futurs Louveteaux.

Gregori opina de la tête.

— Oui, oui ! J'y suis, ça me revient, je me souviens de lui ! Il me semble que nous avions eu une vive discussion sur le choix d'un de nos protégés…

— Oui, c'est bien lui ! Il faisait partie du comité de sélection.

— Hmm ! L'impression qu'il m'avait laissée me revient maintenant. Un profond mélange d'inconfort, de trouble…

— Tout à fait ! C'est exactement l'effet qu'il me fait aussi. Comme je le disais plus tôt, cet homme dégagé une énergie étrange qui heurte son entourage…

— Mais s'il a été retenu parmi les postulants au titre de prochain Grand Maître, c'est qu'il ne doit pas faire cette impression à tout le monde, ne crois-tu pas ? C'est le principe même de la fascination : certains sont séduits et d'autres pas. Dans le dernier cas, les indifférents, ceux qui ne tombent pas sous le charme, ne conçoivent pas pourquoi les autres y succombent. C'est un captivant sujet que le pouvoir d'attraction… Mais revenons-en à nos brebis avant que la vieillesse ne me fasse perdre mon idée. Comment se fait-il que je n'apprenne cette inhabituelle initiation que maintenant ? En tant que Grand Maître, je trouve étrange que personne ne m'ait jamais tenu informé de cette cooptation* tardive. Nous accueillons rarement des adultes dans notre confrérie, parce que généralement leur esprit est fermé…

— C'est exact ! Mais je me rappelle vous avoir averti de la situation et, à l'époque, j'avais déposé la demande sur votre table de travail. Je vous avais même prié d'en faire l'étude avant son introduction dans l'ordre. Je me souviens également que, durant cette période, nous traversions une grave crise politique… L'*Okhrana** avait alors déjoué un attentat contre le tsar fomenté au sein même de son gouvernement et nous avions eu à résoudre cette délicate affaire qui a duré plusieurs semaines. L'admission de cet individu au sein de notre groupe s'est faite, je crois, sans que nous ayons le temps de bien nous y arrêter.

— Oui, oui, je me souviens de cette affaire d'attentat… Une triste histoire qui s'était bien mal terminée… Il y avait eu des ramifications de ce complot jusque dans le cercle privé de notre souverain.

— J'imagine que son intégration est passée inaperçue dans cette période de crise…

— Oui, oui, tu as certainement raison, Iakov. Un étrange concours de circonstances qui tombait à point pour notre ami, n'est-ce pas?

Ces dernières paroles replongèrent le vieux sage dans ses pensées, tandis que le conseiller, à ses côtés, l'observait du coin de l'œil. Le magistère semblait profondément troublé, son front déjà très parcheminé se froissait encore plus de contrariété. Plusieurs choses semblaient le préoccuper et il passa à maintes reprises sa main osseuse sur ses yeux plissés. Son fidèle ami s'interrogeait sur cette appréhension évidente. Pourquoi le prieur était-il soudain si inquiet face à cet homme? Gregori releva enfin la tête et, dans un murmure, il articula de sa voix grave :

— Par saint Nicolas, si c'est lui mon remplaçant…

Puis, se tournant vers son fidèle ami, il reprit avec gravité :

— Iakov, je crains que nous ne nous trouvions dans…

C'est alors que trois petits coups secs vinrent interrompre l'avertissement que Gregori s'apprêtait à donner à son conseiller et ami. Quelqu'un frappait à la lourde porte de chêne des appartements du Grand Maître.

— Oui?! s'écria de sa voix forte le patriarche, impatient.

La porte s'ouvrit aussitôt sur un jeune garçon d'une dizaine d'années, vêtu de simples vêtements de paysan et qui, de toute évidence, travaillait au monastère comme domestique.

— Grand Maître Gregori, veuillez m'excuser de vous déranger ainsi, entama l'enfant visiblement apeuré par le ton du magistère, mais Arkadi vient d'arriver et vous m'aviez demandé de vous prévenir…

Le maître, le front plissé, semblait remettre ses idées en place, comme si l'annonce que lui faisait le garçon constituait une nouvelle.

— Arkadi? Ah, oui, oui, bien sûr!… Où ai-je la tête? Merci, petit, merci, nous arrivons.

Gregori jeta un regard à son ami. Ses yeux exprimaient une joie soudaine. Comme si cette annonce venait de réduire à néant toutes les inquiétudes qui, quelques instants auparavant, marquaient profondément son front. Une vive énergie réanima le vieillard, qui se redressa aussitôt.

— Les voilà enfin, Iakov… Nous reparlerons de tout cela plus tard…

Les deux hommes quittèrent l'appartement pour suivre le jeune garçon en direction d'une vaste salle sombre, mais chaleureuse où crépitait un feu. Une immense cheminée de pierre dans laquelle un tronc d'arbre entier aurait pu brûler occupait un large pan de mur. Sur la hotte, l'écusson de la confrérie était gravé à même la pierre. Les flammes projetaient sur les murs de grès des teintes orangées, conférant ainsi à la pièce un aspect confortable et moins austère que le reste de l'imposant prieuré bâti au VIIIe siècle, sous le règne d'Oleg, oncle d'Igor Ier, fils de Rurik, premier grand prince de Russie.

Un homme à la stature imposante, vêtu entièrement de fourrure de la tête aux pieds, se tenait debout près de l'âtre, les mains tendues vers sa chaleur. À l'arrivée du prieur, il retira son épais couvre-chef avant de s'agenouiller prestement. Il baissa la tête en signe de profond respect et de salut.

— Mon maître…, dit-il tout simplement.

Le vieil homme posa sa main osseuse sur la tête du nouvel arrivant et, pendant une seconde, ses yeux gris délavés exprimèrent une infinie tendresse qu'il s'empressa aussitôt de réprimer.

— Relève-toi, Arkadi, prononça-t-il sur un ton plus rude qu'il ne l'aurait souhaité. L'as-tu?

L'homme vêtu de fourrure se releva aussitôt. D'un large mouvement de la main, il désigna le couffin dans lequel il venait de déposer le nouveau-né qui dormait à poings fermés. Le patriarche se pencha vers l'enfant quelques secondes pour l'examiner.

Quelque chose d'indéfinissable anima ses yeux vieillis. Il posa la main sur la poitrine du nourrisson, pendant une seconde.

— Comment se porte-t-il? demanda-t-il enfin.

— Fort bien, mon maître. Je dois avouer que je suis très impressionné par sa résistance. Nous avons chevauché quatre jours durant et jamais il ne s'est plaint. C'est un enfant exceptionnel, j'en suis certain.

Le prieur opina légèrement de la tête, comme pour confirmer l'affirmation du nouvel arrivant.

— Oui, un enfant exceptionnel, reprit-il à voix basse.

— Passera-t-il les épreuves? demanda le conseiller en se penchant à son tour sur le couffin.

— Je n'en doute pas, répondit avec force Arkadi sur un ton protecteur.

Le Grand Maître continuait d'approuver de la tête, visiblement satisfait.

— La relève est assurée et je sais qu'elle fera de grandes choses, qu'elle marquera de son empreinte ce siècle nouveau. L'histoire de notre monde tel que nous le connaissons est en train de changer, et cet enfant…

L'homme hésita, comme s'il pesait soudain toute la portée de ses mots.

— Cet enfant est promu à un grand destin, conclut-il sans dévoiler complètement sa pensée. Je peux, maintenant, partir en paix…

— Oh, mon maître…, entama le nouvel arrivé.

Sa voix trahissait une tristesse évidente. Mais le vieillard leva la main dans sa direction pour lui intimer l'ordre de se taire.

— Tu devras l'élever comme ton propre fils, Arkadi, tout comme je t'ai élevé. Tu dois savoir que les décisions que prendra ce jeune Loup marqueront l'avenir. Mais sa force dépendra uniquement de ta propre volonté à le voir réussir. Jamais tu ne devras lui montrer tes sentiments… comme tu le fais présentement, lança-t-il en le dévisageant d'un air réprobateur. N'oublie jamais qui nous sommes et pourquoi nous sommes là, Arkadi! Notre vie n'est destinée qu'à un seul et même but: préserver l'état actuel des choses. C'est l'unique raison de notre existence. Les Loups sont les dépositaires de l'*arcana arcanorum**. Rappelle-t'en et fais de cette affirmation ton adage! Les sentiments, aussi nobles soient-ils, ne font jamais de bons conseillers et ils n'ont rien à voir avec le pouvoir. Ces deux éléments sont diamétralement opposés, comme l'eau et le feu, comme le bien et le mal. Nous sommes les gardiens, ne l'oublie jamais.

Le prieur détourna son regard de celui qui se tenait devant lui avant de quitter les lieux d'un pas lent et fatigué. Son fidèle conseiller Iakov salua d'un bref mouvement de tête celui qui s'appelait Arkadi, avant de suivre le vieillard, laissant l'homme et l'enfant seuls.

Arkadi, le Chef de meute, demeura de longues secondes à regarder d'un œil absent le passage par lequel son maître venait de partir. Il avait tellement de choses à lui dire, à lui demander. Comment pouvait-on mettre de côté ce que l'on ressentait? De cela, son maître ne lui avait jamais parlé, il ne lui avait jamais montré comment. Même si le patriarche s'efforçait d'être distant et autoritaire avec lui, Arkadi avait toujours ressenti l'amour qu'il lui portait. Ses yeux avaient toujours été si éloquents, au contraire de ses paroles. Le vieil homme cachait bien mal ses sentiments, malgré ce qu'il pouvait en dire.

Un geignement le tira de ses pensées. L'enfant se réveillait et Arkadi se douta qu'il avait faim. Sans attendre, il tira un cordon finement décoré près d'une des portes de l'immense salle. Quelques secondes suffirent avant que n'apparaisse un jeune homme vêtu d'un large pantalon marron, d'une tunique écrue boutonnée sur l'épaule gauche et d'un large ceinturon de cuir. À son apparition, Arkadi lança sur un ton impératif et froid:

— Fais quérir une nourrice et dépêche-toi.

Le jeune domestique disparut aussitôt.

Arkadi retira enfin son épais manteau de fourrure avant de se pencher sur le couffin, pour prendre dans ses bras le nourrisson éveillé.

— Alors, Viktor, tu te réveilles enfin! Tu n'es pas un loup, mais plutôt un ours, à dormir comme tu le fais ! Ah, tu as faim, n'est-ce pas ? Ça ne saurait être long…

Arkadi reporta son regard vers le passage, les pensées encore occupées par sa rencontre avec le Grand Maître Gregori. Ses prunelles noires habituellement insondables trahissaient un profond trouble. Mais un bruit de pas lourds et rapprochés le ramena à la réalité. Une imposante bonne femme faisait son entrée dans la pièce. Elle salua le Loup d'une gauche révérence, avant de se diriger vers lui pour recevoir dans ses bras potelés le nouveau-né affamé. Aucune parole ne fut échangée, c'était inutile. La femme savait pourquoi elle avait été appelée, elle avait l'habitude. Son travail était de nourrir de son lait des petits dont elle ignorait la provenance. Et puis, d'ailleurs, cela lui importait peu : elle était payée pour le faire, et grassement en plus. On ne la faisait jamais appeler pour faire la conversation et encore moins pour connaître ses opinions. La nourrice savait pertinemment que ces nouveau-nés provenaient de différentes régions de Russie, et elle soupçonnait également que leur venue au monastère était liée à quelque chose de grand qu'une simple paysanne comme elle ne pouvait comprendre.

Arkadi regardait faire la nourrice sans être réellement attentif à ses gestes. Tout à coup, il arqua les sourcils. Il réalisa soudain que jamais, depuis qu'il avait pris l'enfant dans cette fermette lointaine de

Sokol, celui-ci n'avait pleuré. Ils avaient chevauché jour et nuit pendant quatre-vingt-seize heures sans que jamais le bébé n'émette le moindre son, si ce n'était un léger gazouillis. Ils s'étaient régulièrement arrêtés en chemin dans des villages avec ses deux acolytes pour demander, le temps d'un repas, à des nourrices de s'occuper du bébé contre rémunération. Mais jamais celui-ci n'avait manifesté de peur ni quelque émotion que ce fût. Chaque fois qu'Arkadi avait soulevé la pelisse* qui protégeait le nourrisson du froid, celui-ci le regardait très fixement de ses yeux couleur ciel. Un regard profond, magnétique, et calme comme un matin d'hiver.

Arkadi, l'esprit ailleurs, continuait d'observer la femme qui nourrissait le nouveau-né de son sein, lorsqu'un raclement de gorge le tira de ses réflexions. Aussitôt, il se tourna vers l'entrée principale de la salle. Là, dans le reflet des flammes, se tenait une autre femme, beaucoup plus jeune et fort belle. Vêtue de jambières de cuir sur un pantalon de daim marron, d'une chemise de lin écrue serrée à la taille par une large ceinture et d'une très longue veste sans manches, doublée de fourrure, elle se tenait là, immobile, une arbalète à la main.

— Te voilà rentré! As-tu fait un bon voyage, Arkadi? demanda-t-elle simplement.

Sa voix avait une tonalité très douce, très féminine qui pouvait laisser croire à ceux qui ne la connaissaient pas qu'elle était à l'image de son tempérament. Mais ne vous y trompez pas! Derrière cette suavité se dissimulait une femme de tête et de caractère.

— Bonsoir, Ekaterina. Le voyage fut excellent, je t'en remercie… Entraînement tardif? se renseigna-t-il en désignant l'arme d'un hochement de tête.

— Je ne parvenais pas à dormir…

— Toi? Cela m'étonne, tu n'es pourtant pas le genre de femme à souffrir d'insomnie!

— Que connais-tu de mes nuits? lança-t-elle avec aigreur. Il m'arrive parfois de ressembler aux autres femmes, tu sais… même si je suis une Louve!

Arkadi afficha un rictus, mais décida de détourner la conversation. Il sentait que le terrain était glissant et il n'avait plus la force, après les derniers jours qu'il venait de passer à parcourir les routes, de tenir tête à la femme.

— Est-ce que tous les Loups sont rentrés de leur mission?

— Maintenant que tu es revenu, il ne manque plus que Vorotov, répondit-elle en replaçant une mèche de ses cheveux.

— Il ne saurait tarder…

— Oui, c'est ce que nous pensons… et ainsi, la relève sera entière. Une nouvelle génération de Loups! Ensuite viendront pour eux les épreuves qu'ils devront passer afin de déterminer les élus. Alors, dis-moi, Arkadi, comment trouves-tu ton Louveteau?

En posant cette question, la femme s'avança un peu plus dans la pièce pour venir à la rencontre de l'homme qui se trouvait toujours près de l'âtre. Non loin de lui, la nourrice, assise, continuait de nourrir l'enfant sans se soucier de leur discussion.

La Louve jeta un coup d'œil distrait au poupon en passant devant lui. Elle déposa son arbalète sur une table ronde. Plus elle s'approchait de l'âtre, plus la lueur des flammes semblait embraser ses longs cheveux bouclés de couleur acajou. Les lueurs du foyer lui conféraient une aura de mystère. Elle était splendide, une vraie beauté à laquelle Arkadi n'était pas indifférent, mais elle était toujours si froide, si lointaine.

— Je crois sincèrement qu'il passera les épreuves, dit-il enfin. Il est solide et dégage déjà une grande force de caractère.

Arkadi ne la quittait pas des yeux, toujours aussi conquis par sa beauté. Mais Ekaterina ne répondit rien. Son attention se concentrait sur les flammes qui lui réchauffaient le corps et le visage.

— Gregori me semble bien fatigué…, poursuivit le Chef de meute en changeant une nouvelle fois de sujet, après avoir attendu pendant quelques secondes une réponse, en vain.

La femme se tourna lentement vers lui avant de faire quelques pas dans sa direction.

— Normal, c'est un vieillard ! rétorqua-t-elle avec froideur.

— Ekaterina, comment oses-tu ? C'est ton père !

— Tout comme le tien…

— Mais… ce n'est pas la même chose ! Toi, tu es de son sang, de sa chair !

— Pfff ! Balivernes ! Le sang n'est que le lien physique qui définit une filiation, les liens du cœur façonnent des rapports bien plus résistants ! lâcha-t-elle en replaçant une nouvelle fois avec agacement une de ses mèches de cheveux. Tu devrais pourtant le savoir…

— Tu te trompes, Ekaterina. Les liens du sang demeurent les plus solides entre les êtres, dit-il en portant son regard vers le couffin vide qui, quelques instants plus tôt, contenait encore Viktor. Même si nous prenons ces enfants à leurs parents dès leur naissance, le lien qui les unit ne pourra jamais se rompre… Cela va au-delà d'une vie passée ensemble et de l'éducation reçue, crois-moi.

— Es-tu en train de me parler de toi ?

— Peut-être… peut-être ! Tu connais mes sentiments envers Gregori, je l'aime comme un père, mais je sais qu'il ne l'est pas. Jamais je ne connaîtrai mes vrais parents, mais au fond de moi, je sais qu'ils existent. Malgré toutes les années passées, je demeure dans leur mémoire tout comme ils demeurent là, dit-il en frappant sa poitrine du plat de la main. Il ne peut en être autrement! J'ai vu la profondeur de la douleur que provoquait l'enlèvement d'un enfant. Je l'ai lue dans les regards de sa mère et de son père. J'ai compris que jamais cette souffrance ne pourrait s'effacer. Elle lie entre eux les êtres et les âmes d'un fil invisible et intemporel. Arracher un nouveau-né à sa mère est quelque chose d'éprouvant, crois-moi, je viens de le vivre, je l'ai très bien ressenti. Tout comme j'ai compris que jamais ses parents ne l'oublieront, dit-il en reportant son regard sur Viktor, perdu dans les immenses bras de la nourrice.

Celle-ci ne semblait pas entendre leur conversation, et eux paraissaient totalement ignorer sa présence, comme si sa fonction de domestique la rendait invisible. Elle n'était qu'un accessoire, sans plus. La discrétion et le silence faisaient partie des critères d'embauche au prieuré.

— Quelque chose de fort les unit, quelque chose d'unique, conclut-il, le regard toujours fixé sur l'enfant.

Ekaterina, troublée par les propos d'Arkadi, fronça les sourcils. Elle se pinça les lèvres avant de répondre:

— Peut-être bien… Je l'ignore! Bien que j'aie perdu ma mère lorsque j'étais enfant…

La jeune femme hésita un moment, comme si elle revivait certains événements.

— Tu as peut-être raison, reprit-elle, un attachement profond subsiste entre un enfant et sa mère, au-delà du temps et des aléas de la vie… J'ignore, cependant, si cet attachement est le résultat de nos aspirations profondes, de nos désirs mythifiés par l'absence de l'autre, ou s'il est bien réel. Mais ce que je sais par contre, c'est que les rapports que tu as avec mon père sont bien plus puissants que mes propres liens avec lui, ça, j'en suis tout à fait consciente… Ils sont si évidents !

Elle plongea ses magnifiques yeux verts dans le regard énigmatique et noir du Loup. Ils se jaugèrent ainsi quelques secondes avant que la jeune femme conclue sur un ton tranchant :

— Bonne nuit, Arkadi.

Arkadi n'insista pas. Ekaterina ne souhaitait pas prolonger la conversation, elle y coupait court, comme toujours. Il en avait l'habitude. Elle se désistait à chaque fois qu'ils abordaient ce délicat sujet. C'était ainsi depuis qu'ils étaient enfants. Elle reprit son arme et s'éloigna, silencieuse.

Il y avait toujours une telle tension entre eux. Arkadi savait qu'Ekaterina le détestait d'être celui que son père avait choisi comme fils. Gregori avait souhaité avoir un garçon et c'est ce que les astres lui avaient promis. Ce que les augures ne lui avaient pas dévoilé alors, c'est que cette grossesse tant attendue amenerait également une fille. Et qu'à la naissance des jumeaux, celui qui était si espéré mourut presque aussitôt, tout comme la mère d'ailleurs, laissant alors toute la place à l'autre enfant.

Une fille ! La déception fut grande pour le magistère. Cette naissance coïncidait avec le nouveau cycle des Loups et elle avait été si longtemps souhaitée que Gregori, inconsolable, partit sur-le-champ se chercher un Louveteau qu'il décida d'élever lui-même : Arkadi.

Ekaterina fut éduquée comme les autres enfants de l'ordre, sans plus d'égards parce qu'elle était la fille du Grand Maître. Elle avait eu droit à la même discipline, aux mêmes épreuves, à la même vie et à la même absence de sentiment de la part du prieur. Voilà pourquoi Ekaterina en avait toujours voulu à Arkadi. Elle reportait et déversait sur lui ce qu'elle était incapable de dire à son père. Depuis leur plus jeune âge, elle n'avait cessé de lui reprocher l'attention que lui prodiguait le patriarche.

— Bonne nuit, Ekaterina, murmura-t-il enfin, alors que la jeune femme avait déjà disparu.

— Je vais aller porter l'enfant dans le dortoir, suggéra la nourrice dans son dos, le ramenant ainsi à la réalité.

Mais Arkadi demeura silencieux. Il lui répondit simplement d'un mouvement de la tête, tandis qu'elle emportait Viktor, repu et endormi. Le

Chef de meute se passa plusieurs fois les mains sur le visage avec vigueur tout en poussant un profond soupir. Il était si fatigué. Il hésita un instant avant de se diriger vers l'âtre où le feu brûlait encore d'une belle intensité. Ses yeux s'y égarèrent comme il se perdait dans ses propres réflexions. Après un instant, il ramassa sa *chapka* et son manteau pour se diriger à son tour vers sa cellule.

*Réfectoire du monastère Ipatiev,
cinq jours plus tard*

— Ils devraient être revenus maintenant, s'alarma Gregori, s'adressant à Iakov en baissant le ton.

Ils étaient en train de terminer leur repas dans la salle à manger commune. L'aire de repas était séparée en loges. Le Grand Maître accueillait des gens à sa table, mais uniquement sur invitation. Les autres loges ne se mélangeaient jamais et demeuraient entre elles selon la hiérarchie de la confrérie : Louveteaux, frères lais et Loups. Les tables étaient disposées de façon à ce que chacun puisse voir le magistère, le Grand Maître respecté de l'ordre des Loups.

Le conseiller, qui occupait presque toujours la place de l'invité d'honneur, sauf en présence d'un visiteur très particulier, opina de la tête, en accord avec l'affirmation de son maître et ami. Les deux hommes se regardèrent un instant avant que Gregori ne dise enfin :

— Iakov, fais envoyer un éclaireur. Mais demeure discret, je ne veux surtout pas créer d'inquiétude.

Le conseiller acquiesça, termina son verre de vin et se leva. Il salua respectueusement le prieur avant de disparaître aussitôt. Gregori attendit quelque dix minutes avant de se lever à son tour avec lenteur. Aussitôt, tous les membres de la Confrérie des Loups se levèrent pour saluer dans un même mouvement leur maître.

— Passez une agréable soirée, mes Loups. Pour ma part, je me retire, j'ai eu une longue journée.

Gregori referma la lourde porte de ses appartements, puis se dirigea vers l'immense table qui lui servait de bureau et y prit place. Des piles de livres et de papiers formaient devant ses yeux une sorte de barricade, le maintenant, quand il le souhaitait, isolé dans son monde. D'une main tremblante, il sortit de sa poche une amulette qu'il plaça devant ses yeux délavés. Le bijou était constitué d'un cercle à quatre rayons formant une croix d'or, le symbole* de la confrérie. Pendant quelques secondes, le prieur fixa très attentivement le pendule qui se mit à tournoyer sur lui-même de plus en plus rapidement. Le vieil homme demeurait immobile et concentré, tandis que lentement son esprit se libérait de toute contrainte pour entrer en transe.

Devant lui, une image commença à se dessiner, émergeant tranquillement d'un épais brouillard grisâtre. Il observa la scène avec attention, tentant de distinguer avec précision les lieux informes qui s'y profilaient. Tout à coup, son front se rembrunit. Devant ses yeux gris cendré, une vision se matérialisa : il se trouvait dans un sous-bois enneigé, entouré d'arbres dénudés et de conifères ployant sous le poids de la neige fraîchement tombée. Près de lui, une rivière à moitié gelée laissait échapper le chuchotement de ses eaux s'écoulant à travers les névés* de glace. Le calme domina le lieu jusqu'à ce que des cris et des bruits de poursuite assiègent l'endroit endormi. Des hommes, montés sur des chevaux au dos arqué sous leur poids, étaient poursuivis par d'autres, armés de faux et de fourches. La course s'arrêta aux pieds du vieillard. Là, sous ses yeux teintés de tristesse, les outils se levèrent pour s'abattre avec brutalité sur les cavaliers en fuite. Le sang tacha la neige immaculée ; des hurlements déchirants se perdirent dans un écho, tandis que la brume se refermait sur la scène, comme pour étouffer ces cris de mort. Un silence lourd et menaçant vint ensuite clore cette vision.

Le vieux maître cligna plusieurs fois des paupières avant de reposer le précieux talisman. Son regard abattu se brouilla. De ses vieilles mains osseuses et tremblantes, il se cacha les yeux.

À cet instant, Iakov pénétra dans la pièce et vint se poster devant le bureau. Hésitant, il triturait l'ourlet de sa manche, mais avant qu'il n'ait eu le temps de dire quoi que ce fût, le maître prononça, la voix brisée :

— Ils sont morts… Ils ont été tués.

Le prieur leva alors les yeux vers son conseiller qui l'observait, muet.

— Vorotov et ses deux écuyers sont morts, reprit Gregori. Les villageois sont parvenus à les rattraper et à les tuer. L'enfant est retourné au sein de sa famille. Tout est fini pour eux.

Chapitre 4

Monastère Ipatiev, quatre ans plus tard

— Dieu m'a-t-Il oublié, mon vieil ami, mon cher Iakov ?

Le conseiller, tout aussi âgé que son compère, afficha un léger rictus.

— Vous devriez dire, nous a-t-Il oubliés ? Ne suis-je pas aussi vieux que vous ?

— Oui, il paraît ! Mais à te voir toujours aussi débordant d'énergie, je me demande si tu ne nous as pas trompés sur ton âge réel. Tu dois avoir quelques mois de moins…, lança le prieur d'un ton moqueur.

— Hmm ! Je ne vous l'ai jamais dit, mais ma mère m'a gardé quelques mois de plus caché en son sein…, conclut son complice dans un éclat de rire.

— Ah ! mon vieux compagnon, ajouta Gregori après cet intermède de bonne humeur, que serait la vie sans l'amusement, surtout après les dernières semaines que nous avons connues ?

— Bien peu de choses en réalité! répondit Iakov en posant sa main osseuse sur le bras du prieur en signe de fraternité. Je crois que le plus grand malheur de l'homme est de se prendre beaucoup trop au sérieux!

— Oui, oui, je partage tout à fait cette opinion. L'humain choisit bien souvent la route la plus raisonnable, la plus sage, mettant trop vite de côté la joie et la bonne humeur sous prétexte que la vie n'est pas à prendre à la rigolade. Pourtant, il serait plus facile de régler les conflits dans la gaieté que dans l'agressivité… La joie attire l'optimisme et fait tomber les barrières de l'animosité. Mais il semble que le peuple russe ait perdu depuis longtemps maintenant sa joie de vivre. Les récents conflits que nous venons de vivre nous le prouvent… Ils m'ont épuisé. Je suis trop vieux pour ce genre de choses, maintenant. Si Dieu ne me rappelle pas à Lui bientôt, je crois que vous allez devoir choisir quelqu'un pour me remplacer.

— Mais que dites-vous là? Personne ne pourra servir la Russie comme vous…

— En es-tu sûr? Mon absence à Saint-Pétersbourg, le mois dernier, a pourtant eu de graves conséquences. Si je n'avais pas été retenu ici à cause de mon âge et de ma santé, si j'avais été sur place pour conseiller le tsar comme je le dois et voir à sa sécurité, jamais ces bombes n'auraient explosées et il n'y aurait pas eu autant de morts. Jamais nous n'aurions connu ces troubles qui ébranlent encore la Russie, depuis.

— Vous ne pouvez vous en vouloir, maître. Le tsar a refusé de changer son itinéraire malgré vos recommandations, et vous savez comme moi que lorsque Nicolas prend une décision, il est impossible de l'en faire changer. Votre présence n'y aurait rien changé.

— Parce que j'étais absent! La faute me revient, j'aurais dû me rendre à Saint-Pétersbourg.

— Mais vous avez prévenu Nicolas II des dangers qu'il courait, vous ne pouvez tout de même pas l'empêcher de bouger durant vos absences!

— Non, Iakov. Ne cherche pas à me ménager. C'est mon devoir de prévoir ces choses. Tu le sais aussi bien que moi. J'ai failli à la tâche et, à cause de moi, des gens sont morts.

— À l'impossible nul n'est tenu!

— Tu cherches encore à me protéger, mais je n'en ai nul besoin. Je suis assez vieux pour assumer les conséquences de mes gestes. Ne t'inquiète pas, cher ami, je m'occupe de ma conscience. Je ne pleure pas les morts en tant que tels; je crains plutôt les conséquences qui vont suivre. Comprends bien, Iakov, que ce qui s'est passé aura de graves conséquences dans l'avenir, poursuivit le vieux prieur, car même si ces attentats visaient le tsar et qu'ils ont échoué, c'est Nicolas II qui passe pour un tyran! Le peuple va chercher un coupable et ce n'est pas parmi les siens qu'ils le trouvera.

— Oui, je comprends bien, Gregori, je comprends et je partage cet avis.

— Il aurait été préférable que Nicolas soit blessé, ainsi le peuple se serait tourné vers les terroristes. Ce drame ne demeurera pas impuni. Le peuple a de la mémoire.

— Nous ne pouvons dicter constamment les choix et les gestes de notre tsar, et d'ailleurs ce n'est pas notre rôle, renchérit Iakov. Nous sommes les gardiens du pouvoir, nous ne décidons de rien !

— Et pourtant les deux vont de pair ! répliqua le vieux sage.

— Le temps calmera les ardeurs. Le peuple russe aime son souverain.

— Nous savons tous les deux que ce n'est pas aussi simple, n'est-ce pas ? L'amour n'autorise pas tout. Nous avons vu trop de choses dans notre vie pour penser que cela soit suffisant.

Les deux vieillards demeurèrent un instant silencieux. Tous deux hochaient la tête dans un mouvement presque synchronisé, comme s'ils évaluaient avec discernement leurs paroles.

— Hmm ! Hmm ! Bon ! pour rester dans le domaine du sérieux, reprit Gregori sur un ton plus allègre, sans se départir de son doux sourire, il me revient en mémoire que j'ai arrêté la date de l'épreuve que devront passer nos jeunes initiés.

— Et quand aura lieu cette première épreuve?

— À la pleine lune…

Iakov marqua une pause comme s'il calculait mentalement le temps.

— Dans huit jours?

— Oui, c'est bien cela. Nos Louveteaux ont entre trois et quatre ans, c'est l'âge. De plus, nous sommes déjà en février, et cet apprentissage doit toujours se faire en début d'année. Sinon, nous devrons le remettre à l'année prochaine et, cette fois, je ne serai plus là, c'est certain… Du moins, je l'espère! Fais prévenir les Chefs de meute. Qu'ils préparent leurs jeunes élèves…

Iakov quitta la pièce lentement. Sa démarche, malgré les propos de Gregori, semblait laborieuse. Son pauvre ami portait, tout comme lui, le poids des ans. Iakov était, au contraire du prieur, tout courbé et déformé par l'arthrite. Gregori, qui le regardait s'éloigner, murmura pour lui-même :

— Mais, enfin, mon vénéré Père, quand allez-Vous nous rappeler auprès de Vous? Ne voyez-Vous pas à quel point nos jours nous sont de plus en plus pénibles? Même mon cher Iakov, qui était par le passé si plein de vie, se traîne… Une vraie misère! Et moi… je Vous épargne les détails.

Le prieur porta ses yeux fatigués vers une petite icône*, toute simple, posée sur son bureau. L'œuvre était peinte sur un vulgaire morceau d'épicéa, mais la richesse de ses couleurs, alliée à la simplicité de sa réalisation, avait toujours charmé le vieil homme. Elle représentait l'image sainte de Jésus-Christ enfant, auréolé de lumière. Il existait plusieurs icônes dans le monastère, toutes plus riches les unes que les autres, mais celle-ci était à l'image du patriarche: simple, sans prétention, mais noble d'esprit et d'allure.

— Il est grand temps, poursuivit-il. Nous sommes prêts depuis un bon moment déjà…

Le prieur ferma les yeux pour se recueillir.

Trois coups secs frappés à la porte annoncèrent au Grand Maître que quelqu'un désirait le voir. Il ouvrit lentement ses paupières alourdies. Sa tête était toujours tournée vers l'icône.

— Entrez, dit-il en tournant le visage vers les deux lourds vantaux de chêne massif surmontés d'un arc brisé.

Cet accès conduisait aux appartements du maître ainsi qu'à son bureau.

L'une des deux portes s'ouvrit aussitôt sur un homme à la stature imposante. Il était vêtu d'une longue soutane noire, simplement retenue à la taille par un cordon. La tenue traditionnelle des prêtres orthodoxes*. Il portait une longue barbe mal entretenue et des cheveux droits qui semblaient sales et négligés, tout comme l'ensemble de sa personne. Le visiteur avait un aspect repoussant, et chaque fois que le patriarche le voyait, il ne pouvait s'empêcher de ressentir une pointe de dégoût envers lui, malgré toute sa tolérance. L'homme posa son genou gauche au sol en guise de salut et en signe d'obéissance envers le maître du prieuré, tout en baissant la tête. Mais Gregori ne s'y trompait pas : le respect de cet homme ne lui était pas destiné. Non, cet individu aux apparences si pieuses représentait bien, aux yeux du prieur, le mal incarné. Depuis le temps qu'il était sur terre, il avait appris à lire dans le cœur des hommes. Les astres pouvaient bien lui dévoiler l'avenir et les intentions des individus, mais son instinct ne l'avait encore jamais trompé. Gregori savait au plus profond de lui-même que cet homme-là, agenouillé à ses pieds, avec ce faux-semblant de dévotion, portait en lui les actes qui viendraient anéantir ce que les Loups avaient mis tant de temps à bâtir.

Le moine baisa la bague du prieur.

— Raspoutine, que me vaut l'honneur de votre visite ? Je vous vois si rarement, fit-il sur ton légèrement sarcastique. Il faut dire que vous vous absentez très souvent de notre monastère…, laissa planer le prieur.

— Oui, c'est exact, je m'absente régulièrement. Des affaires de famille…

Mais Gregori n'était pas dupe de ce mensonge éhonté. Le Grand Maître n'ignorait pas où le moine partait lorsqu'il disparaissait parfois pendant des semaines. Il connaissait les aventures de Raspoutine et il savait aussi que celui-ci frayait avec les grands de ce monde. Il avait une vie mondaine que le Grand Maître désapprouvait. Mais rien, dans les lois de la confrérie, n'interdisait ces agissements. Gregori ne pouvait que le condamner à voix basse.

— Je viens de croiser Iakov, poursuivit le moine en plissant ses énigmatiques yeux bleus pour regarder le patriarche. Il m'a fait part de votre décision concernant la date choisie pour faire passer le premier échelon d'initiation à nos Louveteaux.

— En effet.

— Excellent choix, oui, oui… la prochaine pleine lune.

— Mais…, commença Gregori qui saisissait fort bien les réserves du moine.

Raspoutine le fixait intensément. Quelque chose d'insaisissable semblait animer ses pupilles si pénétrantes.

— Maître.

L'homme courba la tête.

— Il y a quelque temps déjà, j'ai procédé à une étude des températures selon notre ciel astral et la numérologie* de certaines dates, et je tenais à vous informer qu'exceptionnellement, cette nuit de pleine lune ne sera pas très froide… Je dis bien exceptionnellement, puisque nous sommes en février. Habituellement, ce mois est un des plus froids de notre saison hivernale, et en plus, ce sera la pleine lune. Normalement, ces deux éléments combinés occasionnent une température franchement plus… glaciale !

Gregori se redressa. Son regard venait de changer. Quelque chose d'atrabilaire* s'y pointait.

— Que me dites-vous là, Raspoutine ? Nous ne souhaitons pas assassiner ces pauvres enfants, scanda-t-il, la voix pleine d'une rage qu'il tentait de contenir, mais leur faire passer une épreuve. Une trop basse température les tuerait, déjà que certains n'en réchapperont pas. Rassurez-moi ! J'espère qu'en tant que futur prieur, vous comprenez bien la logique de cette initiation ?

— Oui, oui, bien entendu, maître… Je ne… Je me demandais simplement si l'épreuve ne serait pas trop facile…

— Trop facile ? Trop facile ? Mais ils n'ont que quatre ans, dois-je vous le rappeler ?

— Non, bien sûr que non. Je suis désolé… c'est mon inexpérience. Je pensais bien faire en vous prévenant que la température, dans les jours à venir, serait, ma foi, plus clémente.

— Je suis parfaitement au courant, je vous remercie. J'ai moi-même procédé à l'étude astrale des jours à venir et j'ai pris ma décision en fonction de ce que j'ai vu. Je vous le répète, Raspoutine, le but de cette première épreuve n'est pas d'éliminer les enfants, mais de voir lesquels sont les plus forts physiquement. Comprenez bien cela. Si jamais vous deveniez le prochain prieur, vous devrez faire ce genre de choix en fonction des intérêts de la confrérie, et non des vôtres ! Et vous devrez également vous soumettre à ses usages et à ses rites. Nous formons ces Louveteaux dans le but d'engendrer une élite qui, à son tour, veillera à la protection des valeurs de notre régime. Nous ne cherchons pas à les anéantir ! hurla Gregori, hors de lui.

Le maître s'était levé de son siège et la colère semblait lui donner une plus haute stature. Il fixait Raspoutine dans les yeux et, l'instant d'une seconde, il y discerna une sorte de satisfaction, comme si le moine savourait ce moment. Cette constatation calma rapidement le vieux sage qui se surprenait lui-même de son propre emportement. Gregori n'était pas le genre d'homme à sortir ainsi de ses gonds. Il baissa la tête en poussant un profond soupir, le temps de retrouver son calme. En relevant les yeux vers son interlocuteur, le prieur aperçut l'icône qui lui était si chère. Cette vision finit de l'apaiser.

— Sinon, reprit-il un ton plus bas, quel serait l'intérêt de les arracher à leur famille dès leur naissance ? Nous ne sommes pas des bandits, et encore moins des meurtriers, n'est-ce pas ? ! Comprenez-vous ce que je dis, Raspoutine ?

L'austère et repoussant moine se redressa, à son tour piqué au vif par l'insinuation du prieur. Il vrilla ses yeux dans ceux du Grand Maître.

Une certaine haine s'en dégageait et Raspoutine ne cherchait visiblement pas à atténuer ce sentiment, mais cela ne troubla pas le vieux sage qui s'efforça de lui répondre par un sourire. Le moine baissa néanmoins la tête, non pas de soumission, mais plutôt pour tenter, lui aussi, de se contenir.

— Mon maître, lança-t-il d'une voix perfide, veuillez pardonner à votre humble serviteur.

Il porta sa large main sur sa poitrine.

— Je ne suis qu'un ignorant. Je suis réellement navré de vous avoir déçu par mon impertinence et mon manque de compréhension.

Raspoutine replongea son regard obscur dans celui du vieil homme et, pendant un instant, Gregori sentit qu'il cherchait à infiltrer son esprit. Cette attitude, ce manque de respect envers son supérieur outra le prieur, mais il tenta de garder son sang-froid. Cet homme n'allait pas le manipuler comme un enfant. À qui croyait-il donc avoir affaire ? Le patriarche ferma son esprit avant de dire sur un ton mièvre :

— Ce sera tout, Raspoutine ?

Gregori fit mine de retrouver sa bonne humeur, mais intérieurement il rageait contre l'attitude de ce prétentieux. Et ce qu'il souhaitait pour le moment, c'était que l'autre quittât les lieux au plus vite.

Cet homme le mettait mal à l'aise, et le patriarche savait parfaitement pourquoi. Il savait qui était ce Raspoutine et quel allait être son rôle dans le futur de la Russie.

Le moine se contenta de répondre en effectuant son salut d'un léger mouvement avant du tronc, avant de s'éloigner silencieusement.

« Il se déplace comme un rat, sans qu'on le voie, sans qu'on sente sa présence et sans qu'on l'aperçoive. Cela en dit long sur sa personnalité. Et tout comme le rat, il est opportuniste ! Sale bestiole ! En plus, son aspect est si repoussant… »

Gregori demeura longtemps songeur. Ses yeux délavés qui fixaient le vide devant lui avaient perdu la mince étincelle de gaieté qui lui restait.

« Cet homme est dangereux, il représente une menace pour notre pays… »

Le vieux sage savait depuis plusieurs mois maintenant que Raspoutine serait le prochain Grand Maître de l'ordre des Loups. Il avait consulté l'oracle, et ce qu'il avait découvert alors l'avait profondément abattu. Il savait pertinemment que cet homme n'était là que pour satisfaire ses propres besoins et qu'il allait se servir de l'ordre dans un but précis.

— Son arrivée au sein de la confrérie, la façon dont il s'est retrouvé Chef de meute en si peu de temps, étaient si singulières. Comment a-t-il bien pu parvenir à convaincre le comité de sélection ? Cet exploit démontre, hors de tout doute, les qualités de manipulateur de cet arriviste… Sa venue dans notre confrérie n'est pas un hasard et ne répond pas, de toute évidence, à l'appel d'une vocation… Non, ce moine a un objectif. Sa progression dans l'ordre ne lui sert que de porte d'entrée… Mais quel dessein poursuit cet homme exactement? J'ai tant cherché ces trois dernières années, mais j'ignore toujours comment il s'y est pris et quelles sont ses intentions. Sa venue et son ascension demeurent un mystère complet. Que cherche-t-il à atteindre? Se pourrait-il que…? Oh! mon Dieu! Se pourrait-il qu'il soit au courant et qu'il cherche à accéder…? Non! C'est impossible, comment aurait-il su? exprima dans un murmure le prieur, en passant sa main décharnée sur son front parcheminé.

Le vieillard voyait maintenant l'avenir se dessiner devant ses yeux fatigués, et cette image n'avait rien de réjouissant. Mais les événements prochains lui semblaient maintenant si évidents. Cela provoqua chez lui une profonde tristesse, faisant même sourdre des larmes. Gregori soupçonnait par ailleurs que les défaillances et les malaises qu'il avait ressentis ces derniers mois avaient un lien direct avec ce moine de malheur. Maintenant qu'il saisissait mieux les desseins de cet ambitieux, devait-il s'inquiéter pour sa propre sécurité? Le patriarche avait déchiffré les intentions de Raspoutine, et c'était ce que le moine avait cherché à savoir en tentant d'infiltrer son esprit quelques instants plus tôt. Raspoutine se méfiait lui aussi de Gregori, et le vieux sage percevait maintenant tous les enjeux de cette joute silencieuse que se déroulait entre eux.

Ainsi, le mal qui le rongeait de l'intérieur depuis des mois était provoqué par cet homme. Cette affliction allait bientôt s'étendre à l'ensemble de la Russie qui commençait déjà à montrer des signes de faiblesse. Ce Raspoutine était une fatalité insidieuse, une gangrène qui se répandrait dans le pays tout entier. Bientôt, la patrie allait subir de grands bouleversements, et cet homme en serait l'un des principaux acteurs. Le prieur le savait, comme il savait également qu'il ne pouvait rien y faire. Il n'en avait parlé à personne, car cela ne changerait rien à l'histoire qui devait s'écrire. C'était son cycle, le mouvement de la vie, la marche vers l'avenir. Le vieux sage saisissait très bien que nul ne pouvait arrêter le moine, qui possédait, il l'avait deviné, des pouvoirs exceptionnels. Raspoutine se tenait tranquillement dans son coin en attendant son heure. Qui donc pouvait se méfier de cet homme aux allures si humbles et qui affichait un désintéressement total face aux choses terrestres? Gregori savait que l'avenir qu'il voyait était maintenant inévitable. L'homme avait soigneusement et longuement planifié son opération. Le changement était déjà en marche.

Le vieillard, affaibli, joignit ses mains et se mit à prier de toutes ses forces. Des larmes inondaient son visage tourmenté.

— Voilà, c'est fait! lança Iakov en passant l'une des deux grosses portes massives légèrement entrouvertes. Les Chefs de meute ont été prévenus, les préparatifs vont débuter. Mais... qu'avez-vous, mon maître? s'inquiéta le fidèle en voyant l'état dans lequel se trouvait son ami.

— Ce Raspoutine... Iakov... cet homme est le mal incarné..., souffla-t-il.

Le conseiller tourna la tête vers l'entrée et comprit que le moine venait probablement de quitter les lieux.

— Je me sens si vieux, Iakov, et si impuissant, et pourtant je sais que de grands bouleversements viendront, mais je ne serai plus là, nous ne serons plus là... et cette évidence me consterne, puisque nous ne pouvons et ne pourrons rien y changer.

— Évidemment! Cette histoire appartient à l'avenir et elle ne dépendra pas de nous, mais elle doit survenir..., répondit le conseiller sans réellement comprendre à quoi le patriarche faisait référence.

— Oui, tu as raison, confirma sur un ton morne le vieillard, et c'est bien là le problème. Nous ne pouvons freiner les rouages du destin. C'est le mouvement perpétuel, l'avancée des choses, et contre cela nous sommes impuissants.

— Ils se débrouilleront bien sans nous, tenta Iakov dans un sourire.

— Je ne suis pas aussi confiant que toi, Iakov. Ce Raspoutine... est un homme dangereux.

— Je suis heureux de savoir que je suis maintenant trop vieux pour le conseiller et que ma fin est liée à la vôtre. Nous partirons comme nous avons vécu, ensemble, et cette pensée me réconforte.

— Il aurait pourtant été bon que tu puisses encore veiller sur la Russie et sur son dirigeant, mon vieil ami. L'avenir ne sera pas facile.

— D'autres y verront, soyons confiants! Notre ère est révolue, un nouveau siècle naît et, avec lui, de nouvelles pages d'histoire s'écriront.

Parc du monastère Ipatiev,
minuit, le 22 février 1904

— Les enfants sont prêts? demanda le Grand Maître Gregori à Arkadi qui venait tout juste d'arriver.

— Oui, maître.

Le vieux sage était assis dans une chaise à porteurs, soigneusement emmitouflé dans un manteau entièrement confectionné de fourrure, tant pour la doublure qu'à l'extérieur. Sur ses maigres genoux, une chaude couverture de laine finissait de réchauffer ses jambes. Il semblait las, exténué, et si spectral que tous l'entouraient des plus grands soins.

Il se pencha avec difficulté sur le parapet pour regarder, quelques mètres plus bas, un enclos hautement gardé dans lequel se trouvaient une vingtaine d'enfants simplement vêtus d'une chemise et d'un caleçon long en laine bouillie. Tout autour d'eux, une clôture s'élevait jusqu'à la hauteur des yeux d'un homme. Les gamins regardaient, terrorisés, les alentours.

La première épreuve de leur courte existence devait avoir lieu l'année de leur quatrième anniversaire. Elle consistait à passer une nuit entière dehors, partiellement dénudé, en plein hiver. Les « survivants », ceux qui réussiraient à passer la nuit sans défaillir, seraient alors considérés comme les élus de la relève. Pour que rien ne leur arrivât durant ces longues et horribles heures, les Louveteaux étaient protégés par des hommes armés. Car en cet endroit niché au cœur de la forêt rôdaient des terreurs plus menaçantes que le froid glacial auquel ces enfants allaient se mesurer.

Cette dure et singulière épreuve représentait le premier des six échelons que devait gravir un Louveteau au cours de sa vie pour devenir un Loup. Elle était appelée la Force.

Créés depuis des siècles par les premiers Grands Maîtres de la Confrérie des Loups, ces six échelons avaient été éprouvés depuis longtemps. La première épreuve des deux exercices du niveau un consistait à distinguer, parmi cette relève présélectionnée, les recrues les plus solides, tant sur les plans physique que mental. D'autres tests viendraient, au cours de leur existence, déceler chez ces jeunes Loups les qualités essentielles pour devenir des Chefs de meute. Ces exercices éliminatoires, difficiles et effroyables, avaient été élaborés dans le but précis de former une élite : une caste extraordinaire constituée des meilleurs éléments, voilà ce qu'étaient, par définition, les Loups.

Les sentiments et la pitié n'avaient pas leur place ici.

Arkadi était lui aussi passé par là et s'était, dès son plus jeune âge, toujours qualifié parmi les meilleurs. Il ne gardait certes pas de souvenirs de cet horrible moment que s'apprêtaient à subir à leur tour ces Louveteaux. Mais il ressentait encore au fond de ses tripes l'appréhension qu'il avait éprouvée cette nuit-là, ainsi que ce sentiment de grande solitude qui ne l'avait jamais quitté depuis.

Les Loups formaient une espèce à part et, de ce fait, ils étaient seuls, même parmi leurs semblables.

Arkadi se tenait debout sur l'avancée, en surplomb au-dessus de l'enclos, tout comme le prieur, Ekaterina, quelques autres Chefs de meute et des domestiques. Un lourd et profond silence accompagnerait cette longue veillée. Chacun savait que ce premier test serait éprouvant pour les petits et tous réprimaient, secrètement, l'envie de leur jeter une pelisse de fourrure, tout comme leurs propres pères adoptifs l'avaient certainement refoulée lorsqu'ils étaient eux-mêmes Louveteaux. Car bien que cette épreuve fût nécessaire et obligatoire, elle n'en demeurait pas moins difficile à vivre, même pour ceux qui étaient là en tant qu'observateurs.

Chaque Loup avait les yeux braqués sur son protégé, guettant les moindres indices d'affaiblissement. Le but n'était certes pas de voir mourir leur pupille sous leurs yeux; ils devaient demeurer là toute la nuit à le guetter et intervenir si l'un des enfants montrait quelque signe de faiblesse. Un bon Chef de meute devait retirer son protégé avant que la mort ne le fauche. Ce Louveteau deviendrait alors un frère servant, perdant ses chances d'obtenir un jour le privilège d'accéder au titre de Chef de meute. Son existence serait alors axée sur la vie en communauté, et il se mettrait au service de celle-ci en tant que frère lai. L'exercice servait à identifier les plus résistants, non pas à éliminer quiconque, et cela se faisait pour l'unité de la confrérie, non pour la gloire d'un seul individu.

Ekaterina avait les yeux fixés sur l'enclos. Elle aussi avait passé cette horrible épreuve, et ce fut en réprimant quelques frissons et en réajustant sa longue pelisse de fourrure qu'elle se mit à imaginer la sensation de froid que devaient ressentir ces enfants. La torture était abominable, mais comme tous ceux présents, elle savait que celle-ci n'était pas définitive. Elle non plus ne se rappelait pas de l'épreuve et elle admit en elle-même qu'elle en était bien heureuse. La fille de Gregori n'avait pas de Louveteau sous sa responsabilité, puisque cette attribution était octroyée par tirage au sort et qu'elle n'avait pas été sélectionnée. Pour être honnête, elle pensait que c'était mieux ainsi. Elle n'avait jamais espéré être choisie, car elle ne souhaitait pas faire vivre à un enfant ce qu'elle-même avait vécu : une vie austère dans un milieu dépourvu d'émotions et de chaleur. En regardant ces petits tressaillir de peur et de froid, elle fut soulagée de n'avoir personne à superviser.

Elle porta son regard sur le protégé d'Arkadi. Le petit Viktor se tenait debout près de la porte de l'enclos. Il se dandinait en refermant ses petits bras autour de ses épaules. Cet enfant — et cela, elle l'avait su dès l'instant où elle avait posé ses yeux sur lui — avait quelque chose de particulier. En son for intérieur, elle reconnut qu'elle avait pour lui bien plus que des sentiments fraternels. Lorsqu'elle l'apercevait, elle réprimait toujours l'envie de le prendre dans ses bras et de le protéger, comme devait l'être un enfant de cet âge. Il éveillait en elle des sentiments plus profonds qu'elle ne l'eût souhaité.

De la terrasse où les Loups se trouvaient, l'enfant ne semblait plus avoir peur. Bien au contraire, il paraissait réfléchir à ce qui se passait autour de lui, contrairement à ses frères et sœurs qui pleuraient. Bientôt, songea Ekaterina avec tristesse, le froid allait les engourdir et ainsi faire cesser leurs jérémiades. Viktor leva la tête vers les Loups. De toute évidence, il cherchait son père adoptif. Même à cette distance, et malgré l'obscurité, ses yeux avaient quelque chose de très particulier. Lorsque le regard de Viktor rencontra celui d'Arkadi, il s'y accrocha, concentrant ainsi toute son attention dans les yeux du Chef de meute, comme s'il y puisait son énergie.

CHAPITRE 5

Les minutes s'écoulaient lentement et le froid gagnait en intensité. Cela faisait maintenant plus d'une heure que l'épreuve avait débuté. Viktor se promenait dans l'enclos en sautillant, tandis qu'autour de lui la moitié des enfants étaient assis sur le sol gelé, recroquevillés sur eux-mêmes, inertes. D'autres faisaient comme lui et cherchaient à se réchauffer. Deux gamines se serraient dans un coin. Viktor les observa en repensant aux paroles de son père adoptif. Arkadi lui avait longuement expliqué qu'il allait devoir subir une épreuve; pour la réussir, il devrait se concentrer et tenter de garder son énergie. Il aurait froid, très froid, mais il devait tenir jusqu'à ce qu'on vînt le chercher.

Viktor regardait ses frères et sœurs qui geignaient et, malgré les paroles de son mentor, il sentait bien qu'il était à deux doigts de fondre en larmes. Il avait si froid, si froid. Il avait très bien compris ce que son père adoptif attendait de lui, mais ce qu'il ne comprenait pas, c'était pourquoi cela durait si longtemps. Il grelottait. Le froid rentrait des aiguilles partout dans son petit corps et cette douleur occupait maintenant toutes ses pensées. Il ne souhaitait plus qu'une chose, se coucher et attendre là que quelqu'un vînt le secourir. Il réalisa alors qu'il ne percevait presque plus les lamentations de ses camarades. Étaient-ce ses sens qui s'engourdissaient ou ses frères et sœurs qui s'anesthésiaient à cause de la basse température ?

Sofia, une fillette à la frimousse espiègle, s'approcha de lui, tremblante. Âgée de près de quatre ans tout comme lui, elle semblait néanmoins plus petite et plus délicate. Elle avait les lèvres bleuies et le regard implorant. La gamine semblait attendre quelque chose de lui, mais le garçon ignorait quoi. Ils se fixèrent un moment sans rien se dire. Incapable d'émettre le moindre son, car sa bouche était gelée, et répondant bien plus à son instinct qu'à une quelconque interprétation des faits, Viktor passa ses petits bras autour de la petite pour la serrer tout contre lui. De sa main, il se mit à frotter vigoureusement l'épaule de la fillette. Ce contact et la friction produite par le garçon lui donnèrent un peu de chaleur. Faible, mais tout de même non négligeable. Cette sensation souffla au garçon une idée. Il fit signe à ses frères et sœurs de s'approcher. Sans se faire prier, quelques gamins accoururent aussitôt pour se blottir contre eux, se resserrant pour former une grappe. Chacun se mit alors à imiter les gestes de l'autre, jusqu'à ce qu'une onde de chaleur, fragile certes, mais tout de même appréciable, se diffuse entre eux.

Du haut de la terrasse, Gregori, qui assistait à la scène, ne put réprimer un sourire en portant son regard vers Arkadi. Leurs yeux se communiquèrent leurs pensées sans qu'aucun mot ne soit échangé. Arkadi était visiblement très fier de son protégé, même s'il tentait de le dissimuler. Toutefois, le Chef de meute fronça soudain les sourcils quand il vit une ombre envahir le regard du vieux sage. La situation dégénéra rapidement. En quelques secondes, le prieur se trouva mal. La tête de Gregori roula sur elle-même : il avait les yeux révulsés. Arkadi se précipita aux genoux de son père adoptif.

— Vite, vite, rentrez-le ! hurla-t-il aux deux frères qui se tenaient derrière la chaise du patriarche.

— Que se passe-t-il ? s'écria aussitôt Ekaterina en constatant la réaction d'Arkadi.

— Ton père a un malaise, reconduisons-le dans ses appartements.

Aussitôt, la chaise du Maître fut ramenée dans la chaleur du monastère. Iakov et Arkadi aidèrent les deux frères à allonger le vieillard sur sa couche tandis qu'Ekaterina lui administrait déjà quelque savante mixture pharmacologique. Mais le patriarche ne sembla guère aller mieux.

Ils demeurèrent longtemps au chevet du vieil homme qui agonisait. Il s'écoula près de deux heures.

Personne ne savait exactement ce qui allait arriver. Le plus clair du temps, Gregori sombrait dans un sommeil agité, se réveillait un court instant, souvent couvert de sueur, pour retomber aussitôt dans un état léthargique.

Les minutes étaient angoissantes.

Arkadi envoyait sans cesse quérir des nouvelles des enfants, pour pouvoir les rapporter au prieur lorsque celui-ci avait quelques instants de lucidité. Le médecin personnel du vieillard proposa quelques saignées*, mais le verdict était manifeste : Gregori se mourait. Il ne passerait pas la nuit.

— Il n'est déjà plus tout à fait avec nous, avait murmuré l'apothicaire à l'intention d'Iakov, en l'emmenant en retrait. Il faut s'attendre à le voir nous quitter d'ici quelques heures, sinon avant. Il n'y a plus rien à faire, avait conclu le guérisseur avant de retourner vers son malade.

Après que le conseiller, Ekaterina et Arkadi eurent délibéré, on convoqua les cinq candidats au titre de Grand Maître : Mirowski, Lebedev, Oulanov, Martinovitch et Raspoutine. Il était de coutume dans la Confrérie des Loups que le futur prieur assistât, si cela était possible, au départ du Grand Maître. Cette tradition garantissait ainsi au prochain dirigeant que les pouvoirs mentaux et parapsychiques du défunt lui seraient transmis. Investir un esprit nouveau par l'âme ancestrale et collective de tous les Grands Maîtres, voilà ce que promulguait cette pratique. Et ces dispositions uniques et extraordinaires ne se dévoileraient au lauréat que le jour de sa nomination officielle à la fonction.

Une ombre se faufila jusqu'au lit du patriarche. Lorsque Iakov s'en aperçut, Raspoutine se tenait déjà aux côtés de son vieil ami. Le vieux complice lança un regard sévère au moine, mais celui-ci ne sembla guère s'en inquiéter.

Il posa sa grande main sur le front du vieillard et se mit à psalmodier des prières dans un sabir* mélangeant du grec, du latin et d'autres langues indo-européennes. Personne n'osa intervenir dans cette étrange mise en scène qui sonnait faux. Ekaterina se tenait à genoux à la tête du lit; elle aussi priait, tout en tenant avec force dans la sienne la main osseuse de son père qu'elle sentait trembler. Elle ne voyait même pas Raspoutine, pourtant près d'elle, pas plus que tous ceux qui se trouvaient autour, tant elle était absorbée par son *pater**. Quant à Arkadi, il était déchiré entre la fin évidente de son père adoptif et l'épreuve à laquelle les enfants étaient confrontés dans la cour du monastère.

Après quelques minutes, Raspoutine retira enfin sa main. Il porta son étrange regard bleu acier sur Ekaterina, puis sur Arkadi.

— Il nous quitte, notre Père le rappelle à Lui, dit-il, tout simplement, avant de s'éloigner pour rejoindre les quatre autres prétendants sous le regard amer d'Iakov.

Gregori remua faiblement son index en direction de son conseiller. Celui-ci se pencha vers le vieil homme qui lui murmura quelque chose, puis l'ami fidèle se redressa pour répéter ses paroles.

— Il souhaite parler seul à seul à Ekaterina, dit-il, le regard noyé de larmes.

Sans insister, Arkadi invita d'un geste de la main les candidats et Iakov à sortir de la chambre. Un calme lourd et oppressant semblait envelopper les murs du prieuré. Seul le murmure des prières venait rompre ce douloureux silence.

La jeune femme demeura un long moment au chevet de son père avant de sortir à son tour, en larmes. Elle avait le regard hagard, comme si elle ne savait pas quoi faire. Chiffonnant son mouchoir de lin délicatement brodé à ses initiales, elle s'adressa à Arkadi dans un sanglot :

— Mon père souhaite te voir également.

Les yeux rougis, le Chef de meute pénétra avec respect dans l'appartement privé de son père adoptif. Sa volonté ne parvenait plus à freiner les larmes qui s'écoulaient sur ses joues.

— Je n'ai plus beaucoup de temps, énonça avec peine Gregori en lui tendant la main.

Arkadi la saisit aussitôt avec douceur.

— Arkadi, mon ffffils… Arkadi, haleta le mourant. Je sais que je peux partir en paix, tu feras de grandes choses. Je suis si fier du Loup que tu es devenu, je ne m'étais pas trompé sur ton compte… fff. Toi, Ekaterina et Viktor allez connaître de grandes choses et votre rôle dans l'histoire ne fait que commencer. Moi, je termine ma route ici, fff, et je dois t'avouer que j'en suis fort aise…, soupira le patriarche. Mais… avant de partir, je… fff… dois te mettre en garde contre quelque chose, ou plutôt contre quelqu'un : Raspoutine ! J'ai le regret de t'annoncer qu'il sera, fff…

Le vieillard respirait avec peine.

— … je l'ai vu… il sera… le prochain Grand Maître. C'est par lui qu'arrivera la fin… la fffin…, articula-t-il avec difficulté. La fin de notre société et la fin de la Russie telle que nous la connaissons.

Sa voix était presque inaudible. Arkadi fit de gros efforts pour concentrer toute son attention sur ce qu'il avait à lui dire.

— Mon fffils… tu devras le combattre au péril de ta vie, fff… et la lutte sera difficile… crois-moi. Ne… lui fais jamais confiance, cet homme est perfide… fff… rude adversaire… Mais tu devras aussi apprendre à pardonner…

Le souffle du vieillard devint encore plus haletant, il parlait avec peine, et Arkadi avait tellement de choses à lui demander.

— Je pars, mon fffils… prends sssoin de mon Ekaterina, car je sais que vous êtes liés dans le temps… fff… dans l'espace… Je ne lui ai jamais vraiment dit que je l'aimais, mais toi, tu sssais si bien, fff… qu'elle est toute ma vie… Tu lui expliqueras… fff… j'en ai été incapable. Ne laisse pas sa froideur t'éloigner d'elle, ce n'est qu'une cuirasse… J'en ai fait une Louve, mais nous savons, fff… toi et moi, que les loups ne survivent qu'en clans… fff… Vous devrez œuvrer à deux, puis à trois… Adieu, mon filsss…

Gregori ferma les yeux. Arkadi, en pleurs, pensa alors que le prieur était mort, mais en se penchant vers sa poitrine, il entendit un léger sifflement. Il baisa le front de celui qui avait été son père, son protecteur et son mentor, puis fit une prière avant de lui dire au revoir et de sortir. Il devait, il le savait, laisser à Iakov l'occasion de lui faire également ses adieux. Le vieil ami entra aussitôt. Arkadi referma doucement la porte de la chambre derrière lui. La salle qui servait de bureau au prieur était plongée dans le noir. Seul un modeste chandelier à cinq branches éclairait faiblement les gens qui se trouvaient là, à attendre : les cinq postulants à la fonction, comme le voulait la coutume, Ekaterina et deux frères lais. Personne ne parlait, mais la pièce s'emplissait des marmonnements des prières que récitaient à voix basse les Loups présents.

Ekaterina tournait le dos à cette assemblée. Elle avait le regard orienté vers l'extérieur et fixait, à travers la fenêtre à meneaux, les ombres de l'immense forêt de conifères et de bouleaux qui s'étendait au-delà du prieuré. Elle se tenait là où avait l'habitude de se mettre son père lorsqu'il réfléchissait. Elle pleurait en silence et, pour la première fois, Arkadi se permit un geste plus intime envers elle : il la prit dans ses bras. La jeune femme se laissa faire, anéantie.

Au même moment, un domestique entra en trombe dans l'appartement de Gregori. Il cherchait du regard le conseiller, c'était évident. En le voyant, Arkadi s'approcha aussitôt, inquiet de son arrivée précipitée.

— Il est avec le maître. Qu'y a-t-il ? Parle ! ordonna Arkadi.

— Un enfant vient de mourir, laissa tomber le frère d'une voix mal assurée.

Arkadi jeta un regard à Ekaterina. Son œil trahissait son inquiétude.

— Qui ?

— Le jeune Alexis. Nous devons en aviser le Grand Maître.

— Non, ce n'est pas le moment. Je viens.

Il se tourna vers la femme pour lui dire :

— Tu restes ici et tu préviens Iakov dès que tu en as l'occasion. Inutile de faire prévenir Gregori, laissons-le mourir en paix. Tu comprends ?

La jeune femme opina de la tête.

— J'y vais.

Sans prêter attention à ceux qui se trouvaient là, Arkadi se précipita dans le couloir. En quelques minutes, il se retrouva devant le clos où s'étaient agglutinés les quatorze enfants restants, complètement gelés. Sur les vingt-deux enfants, sept avaient déjà été retirés de l'enclos, car ils souffraient d'engelures sérieuses ou d'hypothermie. Le Loup trouvait cette pratique des plus barbares et il n'en avait jamais compris l'utilité, mais il n'était pas là pour refaire la charte de leur confrérie. Cela faisait maintenant plus de trois heures que les enfants étaient dehors et la température continuait de chuter. Le froid était mordant. Arkadi regarda les enfants avec pitié avant de faire signe aux gardiens d'ouvrir.

— Je crois que nous pouvons conclure que ces Louveteaux ont parfaitement réussi cette épreuve. Rentrons-les avant qu'un nouveau malheur ne survienne.

Sans qu'il ne vît personne arriver à ses côtés, le Loup sentit soudain une présence. Il tourna la tête pour apercevoir une ombre qui se tenait à moins de deux pas de lui. Si près, en réalité, qu'Arkadi en ressentit un malaise. Malgré l'épaisse cape qui cachait entièrement son corps et son visage, le Chef de meute reconnut l'intrus sans hésiter : Raspoutine.

— Que faites-vous là, Arkadi? s'écria le moine, la voix teintée d'animosité. Ces enfants doivent demeurer dans l'enclos jusqu'au lever du jour. Vous n'avez pas le droit de lever cette consigne.

— Raspoutine, je m'autorise, étant donné les circonstances, à lever cet ordre. Iakov se trouve auprès de notre maître qui se meurt, un enfant vient de rendre l'âme et le froid se fait plus intense. Je pense qu'il est de notre devoir d'agir, le contraire serait immoral.

Arkadi fixait Raspoutine de ses yeux qui n'avaient que de l'antipathie pour cet homme amoral.

— Ne vous inquiétez pas, j'en prends l'entière responsabilité, conclut-il avec sarcasme.

— Mais qui croyez-vous être pour décider de cela en toute impunité? Que je sache, vous n'êtes ni prieur ni candidat à ce titre!

— Et j'en suis fort aise, croyez-moi, Raspoutine! Je ne suis, avant tout, qu'un homme responsable qui a le sens du devoir et de la vie, rétorqua Arkadi en fixant attentivement le moine. Je ne laisserai pas un autre enfant mourir pour respecter une pratique ancestrale que je trouve inhumaine et totalement absurde. Selon toute vraisemblance, le résultat est convaincant, ajouta-t-il en désignant les enfants. Ils ont survécu au froid. Nous pouvons donc admettre, après ces heures passées dehors, qu'ils ont parfaitement réussi cette épreuve. Que nous apporterait de plus de les y laisser encore trois heures, jusqu'au lever du soleil? Rien, si ce n'est d'autres morts. Souhaitez-vous réellement, Raspoutine, les voir mourir l'un après l'autre pour voir qui survivra, et pour justifier l'existence de cette épreuve aberrante qui date d'une époque révolue ? Croyez-vous réellement que ceux qui ne réussissent pas cette épreuve n'ont pas l'étoffe pour devenir des Loups ? Le pensez-vous vraiment ?

Raspoutine leva légèrement le menton, par dédain. Son regard froid scruta l'âme de celui qui se trouvait devant lui et qui se braquait contre lui. Il le mesurait avec exactitude, comme on jauge un adversaire. Soudain, sans qu'Arkadi comprît pourquoi, la physionomie de Raspoutine se modifia. Un sourire vint souligner ses traits austères, ce qui eut pour effet d'inquiéter le Chef de meute. Le moine fit un pas sur le côté, avant de le convier d'un geste de la main à procéder.

— Oui ! Vous avez entièrement raison, Arkadi. Je partage votre avis, ce premier exercice est concluant ! Il n'est pas nécessaire, effectivement, que d'autres enfants meurent. Je décrète donc que ces Louveteaux ont parfaitement réussi cette épreuve, hurla-t-il à l'intention de tous ceux qui se trouvaient dehors.

Le Loup le dévisagea, son antipathie exacerbée par son attitude autocrate, mais il passa outre à ses impressions. Il devait agir, il n'avait pas de temps à perdre avec ce prétentieux.

Arkadi pénétra dans l'enceinte, suivi d'autres Chefs de meute et de quelques femmes armées de couvertures de fourrure. Les quelques enfants qui restaient furent rapidement conduits à l'intérieur du prieuré pour être plongés dans de larges cuves remplies d'eau froide. Il était impensable de les mettre tout de suite en contact avec une quelconque source de chaleur, il fallait ramener graduellement la température de leur corps à une certaine tiédeur. Le réchauffement trop rapide provoquerait un terrible choc thermique, et la douleur serait intenable.

Arkadi donna des ordres et s'assura que les enfants allaient bien. Il s'occupa personnellement de Viktor, jusqu'à ce que le garçon ouvre lentement les yeux. Il grelottait de tout son petit être sans pouvoir se contrôler. Quand il vit son père adoptif, Viktor afficha un faible sourire avant de demander dans un murmure:

— Père… ai-je réussi?

Arkadi le regarda quelques secondes; ses prunelles noires et si profondes se teintèrent de fierté.

— Oui, mon loupiot, tu as réussi l'épreuve. Je suis très fier de toi. Maintenant, nous allons prendre soin de toi, tu dois te reposer. Je reviendrai te voir un peu plus tard. Je te laisse entre les mains de Masha, dit-il en jetant un regard à la nourrice qui avait pris soin de Viktor depuis son arrivée au monastère, quatre ans plus tôt. Elle va s'occuper de toi et, pour l'heure, tu dois te remettre sur pied… Bois tout ton bouillon, il te fera du bien.

Avant de remonter vers les appartements de son maître, il s'assura que tous les Louveteaux se portaient bien. À part quelques engelures, les quatorze enfants se remettaient lentement de leur épreuve. Le peu de chaleur qu'ils avaient pu échanger entre eux durant ces heures, en se regroupant et en se frictionnant l'un l'autre, leur avait épargné des problèmes plus sévères.

Arkadi monta deux par deux les marches de pierre qui menaient aux étages supérieurs où se trouvait le logis du Grand Maître. Il savait que son mentor allait mourir et qu'il ne lui restait plus beaucoup de temps. Il le ressentait parfaitement au fond de son cœur, il percevait fort bien cette impression de vide qui rôdait à proximité de son être. Il aurait pu, s'il l'avait souhaité, se mettre en contact avec le vieil homme, mais il ne désirait pas se servir de ses capacités. Il ne voulait pas voir et ressentir la mort de celui qu'il aimait comme son père. Il en était incapable, il le sentait bien. Et pourtant, il lui aurait été facile de pénétrer l'esprit du vieillard pour vivre ces derniers instants avec lui, pour l'accompagner vers sa nouvelle vie.

Il freina son allure jusqu'à s'arrêter en plein milieu du large et sombre couloir qui menait chez le prieur. Son esprit était en éveil, quelque chose retenait son attention. Il se concentra sur son environnement, les sens en alerte, jusqu'au moment où il sentit une onde le traverser, pénétrant entièrement sa pensée et son âme. Malgré la force de cette énergie, Arkadi en perçut toute la douceur, comme un sentiment familier, apaisant et réconfortant. Le Loup se laissa totalement envahir par ce flot bienfaisant sans chercher à fermer son esprit. Il ferma les yeux pour se permettre de bien vivre cet instant avant de plonger sa tête entre ses mains et d'éclater en sanglots. Un immense et terrifiant vide s'ensuivit, se répandant à travers toute sa personne. Arkadi s'appuya au mur, anéanti.

Lorsqu'il entra dans la chambre quelques minutes plus tard, Iakov consolait Ekaterina en pleurs. Le fidèle conseiller et ami du Grand Maître lui fit alors un signe de la tête. Ses yeux étaient si éloquents: Gregori venait de mourir. Mais Arkadi le savait déjà.

CHAPITRE 6

Cathédrale de la Trinité, monastère Ipatiev,
dans l'Anneau d'or*,
1er mars 1904

Les cinq bulbes dorés qui chapeautaient le toit de la cathédrale irradiaient le lieu saint, sous le soleil étincelant. Cet éblouissement contrastait remarquablement avec le ciel azuré mais froid de ce matin sibérien. L'édifice blanc, magnifique par son architecture typiquement russe et dont l'entrée principale donnait sur la rivière Kostroma, détonnait avec le profil plus austère de son monastère, situé non loin de là. La renommée de la cathédrale n'était plus à faire. Depuis des siècles maintenant, elle avait atteint une notoriété qui s'étendait au-delà des frontières de l'Empire russe. Non seulement la tradition voulait que tous les tsars de Russie viennent y séjourner avant de monter sur le trône, mais elle était aussi reconnue pour sa grande beauté et ses richesses. C'était une véritable mine de trésors d'art religieux, de manuscrits et d'objets précieux. Des fresques grandioses et de remarquables icônes embellissaient ses murs. Mais ce qui émerveillait le plus dans cet édifice religieux, c'étaient ses portes parées de somptueux motifs ornementaux, rinceaux*, rubans*, entrelacs* et moulures tarabiscotés*. Toutes ces ornementations étaient recouvertes de feuilles de cuivre dorées dans lesquelles étaient insérées de superbes icônes, finement exécutées. Une vraie splendeur.

L'établissement était réparti en cinq édifices majeurs : le palais des Romanov, bâti par Mikhaïl Romanov, fondateur de la dynastie* ; le pavillon de la confrérie ; le pavillon épiscopal ; le campanile, et la cathédrale de la Trinité.

Malgré cet imposant panorama architectural et l'historique connu du prieuré, toutefois, l'ordre des Loups demeurait une société secrète qui œuvrait sous le couvert d'une vie monastique traditionnelle. Bien peu de gens, en réalité, connaissaient son organisation et sa mission.

Un silence profond et respectueux dominait dans la cathédrale. Tous les membres de la Confrérie des Loups étaient là, bien sûr, mais on y retrouvait également des amis de longue date du prieur, des gens qui lui avaient été fidèles, et aussi des personnages importants. Dans une loge, en retrait, se tenait l'un des indispensables protagonistes de cette histoire. Un homme qui allait marquer par son destin unique les annales de la Russie et qui demeurerait à tout jamais dans le souvenir de son peuple, bien au-delà de sa mort tragique : le tsar Nicolas II, empereur et autocrate de toutes les Russies.

Son arrivée au monastère avait étonné bien des gens, mais ceux qui connaissaient Gregori depuis longtemps savait l'affection qui avait toujours lié les deux hommes. Une histoire qui remontait à l'époque où le tsar n'était encore qu'un enfant.

Gregori était, déjà à cette époque, le prieur de l'ordre des Loups et il œuvrait pour le père de Nicolas, le tsar Alexandre III. Quand Gregori avait sauvé la vie du jeune *tsarevitch**, alors âgé de treize ans, les deux hommes étaient devenus des alliés fidèles. L'amitié et la confiance qu'ils éprouvaient l'un pour l'autre n'avaient jamais fait défaut, malgré quelques brouilles qui parfois occasionnèrent certaines tensions entre eux. Gregori avait toujours servi les Romanov avec conviction, dévotion et amour, et c'était pour cela que le tsar s'était déplacé de Saint-Pétersbourg à l'annonce du décès du vieux sage.

— Notre Grand Maître et mentor Gregori Bogdanovitch est mort, paix à son âme, clama l'officiant avec puissance. Que son esprit demeure en nous et nous guide dans nos choix, que sa lumière éclaire nos pensées obscures et nos doutes.

Le prêtre fit un large signe de croix dans les airs. La cérémonie funéraire se terminait après une célébration qui avait duré plus d'une heure.

— Amen, entonna d'une même voix l'assemblée.

— Notre père à tous nous a quittés, mais ses actions nous guideront à jamais. Il a toujours œuvré pour le bien de son pays. Que Dieu l'accueille en Son royaume.

— Amen.

— Le vieux Loup est mort, son esprit veillera sur nous à jamais.

L'officiant marqua une pause avant d'ajouter :

— Un autre Loup doit maintenant lui succéder.

— Qu'il en soit ainsi, reprirent en chœur les conviés.

— Tous, écoutez bien : la Chambre des douze, composée des membres et Chefs de meute, a désigné le prochain prieur de notre confrérie. Cette décision est irrévocable et nul ne peut s'y opposer. Si quelqu'un se lève et la récuse, qu'il soit banni à jamais de notre ordre. Voici venir le successeur, le nouveau Grand Maître de la Confrérie des Loups : Raspoutine-Novyï. Ainsi a parlé la Chambre. Mes frères, mes sœurs, accueillons notre nouveau prieur.

Raspoutine se leva du banc sculpté dans le bois sur lequel étaient également assis les quatre autres candidats au titre. Sa mise modeste et si insignifiante contrastait avec la suffisance qu'il dégageait. Le moine à la carrure imposante sembla grandir sous les yeux de ses pairs. Il affichait sans la moindre discrétion une allégresse pour le moins déplacée, étant donné les circonstances. Arkadi jeta un regard à la dérobée à l'ensemble des Loups qui se trouvaient dans la cathédrale et put deviner que la nomination du moine ne faisait pas l'affaire de tous.

Bien que le choix du nouveau prieur dût se faire dans le secret, des rumeurs circulaient depuis la mort de Gregori sur l'élection évidente du moine. Jamais dans l'histoire de la communauté une nomination ne fit autant jaser et jamais, non plus, aucune ne serait aussi controversée que celle-ci. Seuls les membres de la Chambre qui étaient Chefs de meute de la troisième et de la quatrième générations de Loups avaient un pouvoir électif. Nul ne pouvait contester leur décision, qui était prise à l'unanimité, au risque de se voir, comme venait de le dire l'officiant, banni définitivement de la confrérie.

— Que la vie te soit longue, reprit le membre de la Chambre, que l'esprit des Maîtres te seconde dans tes réflexions et dans tes jugements. Que tes choix et tes décisions soient en harmonie avec notre mission et que chacun t'appuie dans tes résolutions. Longue vie à Raspoutine ! clama le chanoine de la Chambre des douze en désignant de la main le moine qui s'avançait résolument vers l'autel.

— Raspoutine-Novyï, es-tu prêt à prêter serment de fidélité et de loyauté envers notre ordre? demanda le doyen en élevant un peu plus la voix.

— Je suis prêt.

— Jures-tu de lui donner ta vie et ton âme?

— Je le jure.

— Quelles sont les trois règles de la confrérie?

— Obéissance, Dévotion et Discipline.

— Prête serment.

— Moi, Raspoutine-Novyï de Pokrovskoïe en Sibérie, Grand Maître de la Confrérie des Loups, prête serment de loyauté envers notre ordre. Si je ne respecte pas les traditions, je suis prêt à payer pour mes erreurs. Si je m'éloigne du chemin tracé, j'accepterai les conseils sans discuter. Si je ne suis pas fidèle, j'accepterai l'unique châtiment: la mort. Notre cause est notre sang, elle coule dans nos veines et dicte nos actes. En son nom et pour son nom, je prête serment de fidélité envers et pour la Confrérie des Loups.

Un long silence suivit cette proclamation qui rendait maintenant officielle la nomination du moine. Les Loups baissèrent la tête en signe de recueillement et d'acceptation de ce nouveau prieur.

Le chanoine traça sur la tête de Raspoutine un signe de croix, avant de lui passer au cou une chaîne en or au bout de laquelle pendait le sceau de la confrérie: une croix à roue à quatre rayons, symbole préchrétien de la lumière et du soleil. À son index gauche, il passa une bague sertie d'une émeraude, preuve tangible du pouvoir du nouveau prieur. Sans rien ajouter, l'officiant embrassa le nouveau maître sur la bouche* avant de s'éloigner.

La coutume voulait qu'une fois le nouveau prieur nommé, les membres de la Chambre se retirent pour toute une nuit dans la cellule même où ils avaient secrètement élu le nouveau maître. Les membres étaient alors restés enfermés aussi longtemps que le choix n'avait pas fait l'unanimité. Lorsque le nom du successeur avait enfin été arrêté, on avait brûlé dans la cheminée tous les bulletins de vote. La fumée avait ainsi annoncé aux autres membres de la communauté qu'un nouveau magistère avait été désigné.

C'était dans cette pièce que se trouvait la dépouille de Gregori. Les membres de la Chambre des douze allaient prier pour son âme et pour que celle-ci transmette au nouveau Grand Maître tout son savoir, avant que son corps ne soit transporté dans la crypte de la cathédrale.

— Votre Majesté ! s'exclama avec extase Raspoutine en se jetant aux pieds du tsar. C'est un tel privilège de vous voir ici.

— Relevez-vous, Raspoutine, vous n'êtes plus un simple moine. Votre charge et votre fonction font de vous un être au-dessus de la moyenne. Soyez digne de votre titre ! ordonna le monarque avec fierté.

Le nouveau prieur se releva aussitôt. Ils se trouvaient dans le pavillon épiscopal, situé à un jet de pierre de la cathédrale. Le tsar avait demandé à rencontrer en privé le nouveau maître des Loups. Nicolas avait lui aussi entendu certaines rumeurs au sujet de ce moine fascinant, et ce fut avec curiosité qu'il détailla l'homme devant lui : il était si ordinaire, rien chez lui ne transcendait la divinité ou l'absolu, malgré la réputation qui le précédait. D'après les racontars qui circulaient à la cour, cet homme à la mise si quelconque guérissait les malades et avait des visions célestes. On lui avait dit tant de choses sur ce moine que le tsar s'était attendu à rencontrer quelqu'un de vraiment exceptionnel : quelqu'un de charismatique dont la glorieuse splendeur transformerait le banal en formidable. Mais non, rien de tout cela ; l'homme était on ne peut plus ordinaire, voire même presque repoussant. Pourtant, les paroles de la grande duchesse Militza*, une amie de la tsarine, résonnaient encore à ses oreilles. Mais devant lui se tenait un homme presque insignifiant, tout ce qu'il y avait de commun.

«Les voies de Dieu sont impénétrables» furent les seules paroles qui vinrent à l'esprit du monarque tandis qu'il détaillait le religieux.

Il va sans dire que le tsar avait été mis au courant avant tout le monde de la nomination du moine. Après tout, c'était normal, puisque la confrérie était placée sous l'autorité du monarque. Ce fut avec une certaine satisfaction qu'il avait accueilli la nouvelle. La tsarine, Alexandra, qui était enceinte, ne pouvait se déplacer pour un si long voyage et fut extrêmement déçue d'apprendre qu'elle ne pourrait rencontrer le célèbre Raspoutine. C'était elle qui, la première, avait parlé du religieux au monarque, et son envie de le rencontrer n'avait eu d'égal que son regret de ne pouvoir faire le voyage. Mais maintenant que le tsar le voyait là devant lui, il dut bien admettre en lui-même qu'il était fort déçu.

En repensant à tout cela et en observant cet homme ordinaire, à l'allure négligée et vêtu d'une simple bure, il se demanda pendant un moment s'il avait été bien informé.

Le moine, de son côté, observait attentivement le tsar, ou plutôt suivait mentalement l'évolution des pensées du monarque. Il lisait en lui comme dans un livre ouvert. Il ferma avec lenteur les paupières sur ses yeux perçants, comme pour afficher une certaine lassitude d'être ainsi jugé.

— J'espère que nous saurons construire les bases solides d'une grande collaboration, prononça enfin le tsar.

— Je ne saurais en douter, mon maître, répondit le nouveau prieur de la confrérie.

Il se tenait debout près d'une fenêtre à meneaux, les bras croisés et rentrés dans les manches de sa robe.

— Vous connaissez votre mission. Je dois vous prévenir que succéder à Gregori ne sera pas un travail simple. C'est un grand homme qui vient de nous quitter… Paix à son âme, ajouta le tsar, la voix légèrement éraillée. Un homme en qui j'avais une confiance totale et une amitié profonde.

L'empereur ferma une seconde les yeux avant de reprendre :

— Saurez-vous gagner mon estime, Raspoutine ?

— Je m'y emploierai de toutes mes forces, promit le moine en accompagnant ses dires d'un léger mouvement avant de la tête.

— Nous verrons bien, nous verrons bien !… Gregori a toujours su veiller efficacement sur notre sécurité…

Le tsar plongea un instant son regard bleu dans celui du moine, mais il ne termina pas sa phrase.

— En attendant, je vous invite à prendre connaissance de certains dossiers sur lesquels Gregori se penchait depuis plusieurs mois. Je ne vous apprendrai rien en vous disant que des révoltes viennent d'être étouffées dans certaines villes, un peu partout dans le pays. Vous avez beau être reclus dans ce monastère, cela ne vous coupe pas du reste du monde, n'est-ce pas ? Et même si vous n'étiez pas encore au courant des quelques dossiers secrets que vous découvrirez bientôt, vous deviez, comme tous les hommes intelligents de cette confrérie, avoir quelques idées sur les tensions extérieures qui menacent de plus en plus le pouvoir. Ces petites émeutes sont de plus en plus récurrentes ; il faudra vous assurer que cela ne cache pas quelque chose de plus gros. Vous êtes certainement au courant de l'attentat manqué contre ma personne le mois dernier, et des quelques anicroches qui s'y rattachent ? Nous savons, de source sûre, que ces tristes conséquences générèrent le mécontentement du peuple. Nous sentons la colère gronder parmi nos sujets et nous souhaitons être tenus continuellement au courant de ces troubles, aussi insignifiants soient-ils. Nous sommes-nous bien fait comprendre ?

— Oui, mon souverain. Je vais, dès aujourd'hui, me plonger dans les dossiers de notre regretté Gregori et entreprendre toutes les démarches nécessaires.

— Nous sommes très chagrinés de la disparition de notre ami et prieur, mais malheureusement le mal ne dort pas et nous donne rarement quelques jours pour nous remettre d'un deuil. Nous ne pouvons laisser notre pays sans surveillance, même le temps d'un recueillement. Nous portons le chagrin de la perte de notre ami dans notre cœur, mais nous ne devons pas perdre de vue les menaces naissantes.

Nicolas alla s'asseoir dans un des fauteuils de la pièce qui se gorgeait de soleil. Dans un coin, un feu brûlait avec intensité et le tsar s'y attarda un moment. Raspoutine, de son côté, en profita pour détailler discrètement le souverain. Il était tel qu'il se l'était imaginé : de grandeur moyenne, à peine un mètre soixante-quinze, l'homme aux cheveux châtains arborait une barbe soigneusement taillée, rehaussée d'une moustache en guidon. Il était assez beau et son regard bleu exprimait une grande douceur, marquant parfois l'indécision. Mince et athlétique, le monarque semblait plus fait pour une vie en plein air que pour l'exercice du pouvoir. Nicolas le Pacifique, comme il était encore appelé, affichait en permanence un caractère sérieux et réservé. Le tsar rêvait d'une vie simple en famille ; ce n'était un secret pour personne. Le jour de son couronnement, il avait clairement exprimé qu'il ne se sentait pas prêt à prendre les rênes du pouvoir. C'était pour cette raison, d'ailleurs, que ce grand rêveur avait conservé auprès de lui les conseillers de son défunt père, Alexandre III. Des hommes qui avaient fait leurs preuves et sur qui il savait pouvoir compter. À défaut de pouvoir prendre seul des décisions, l'homme avait su s'entourer des meilleurs. C'était là un signe d'intelligence.

— Nous voulons que vous veniez à Saint-Pétersbourg, dit-il enfin après quelques longues minutes de silence. Vous devez rencontrer la famille royale et ma chère Alexandra qui désespérait de ne pas pouvoir nous accompagner. Vous devez être en mesure de veiller sur nous. Les rencontres établissent toujours des liens entre les êtres.

Raspoutine inclina le torse à demi.

— Ce sera un grand honneur pour moi.

Le tsar se leva pour se diriger vers la sortie. Il n'avait plus rien à dire au nouveau prieur et il avait jugé de sa personne, il pouvait rentrer à Saint-Pétersbourg. Avant de passer la porte, il dit :

— Raspoutine, vous ne pourrez jamais remplacer Gregori, c'était un homme plein de sagesse et de bonté. Je ne sens pas chez vous cette dernière qualité, mais cela nous importe peu en réalité ! Pour la sagesse ? Eh bien, laissons-la se développer avec le temps et l'expérience ! Mais je pense que nous pouvons nous fier à vous.

Raspoutine fit une flexion avant du torse en signe de gratitude.

— Votre Altesse me permet-elle de lui faire une prédiction ?

Le tsar le dévisagea une seconde, mi-amusé mi-songeur, avant de dire :

— Faites!

— La tsarine Alexandra attend un enfant: ce sera un fils. La Russie connaîtra, dans les mois à venir, son héritier.

Nicolas eut un mouvement de surprise à peine perceptible. Ses yeux bleus se perdirent dans le regard étrange du moine, et ce dernier y lut toute la fierté qu'éprouvait soudain le monarque.

— Nous verrons bien, Raspoutine, nous verrons bien! dit-il enfin. Si votre prédiction se révèle exacte, vous gagnerez mon estime et celle du monde entier. Dans le cas contraire, je m'arrangerai pour que la Confrérie des Loups ait un nouveau Grand Maître et je vous enverrai croupir dans votre Sibérie natale!

Nicolas II venait de passer du pluriel au singulier dans sa façon de se désigner lui-même, donnant ainsi plus de poids à sa menace, qu'il voulait personnelle. Il parlait en son nom et non en celui de son pays. Le tsar quitta la pièce en laissant derrière lui le moine qui, le sourire aux lèvres, le regarda s'éloigner.

L'assermentation du nouveau prieur de la Confrérie des Loups fut suivie, pour les initiés et les hôtes, d'un repas servi dans le grand réfectoire du monastère. Cette coutume avait été instaurée dès la création de la société secrète et, par sa pratique, honorait le passage marquant et le départ de Gregori ainsi que la venue du nouveau magistère, puisque ce dernier prenait place publiquement, donc officiellement, à la table réservée au Grand Maître de l'ordre.

Pour commencer cette cérémonie, cinq aliments symboliques furent servis : le pain azyme, qui représentait tant le chagrin que la préparation à la purification et à la mémoire des origines ; le vin associé à la connaissance et à l'initiation ; le fenouil qui permettait d'éclaircir la vue de l'esprit ; le poisson qui évoquait le baptême car il naît de l'eau, et la pomme qui, elle, incarnait la science, la magie et la révélation.

Ces cinq symboles évoquaient aussi la mémoire commune, l'initiation, l'ouverture de l'esprit, le baptême et le savoir. Ils étaient destinés aussi bien au nouveau magistère qu'à ceux qui, dorénavant, seraient sous son influence et ses ordres.

L'ordinaire avait donc été remplacé par ces denrées de base que les convives devaient manger sans préparation ni accompagnement quelconque. Le pain azyme, fait d'eau et de farine, se mangeait sec ; le vin était sans saveur ; le fenouil et la pomme étaient mangés crus. Seul le poisson subissait une cuisson à la vapeur, mais aucun condiment ne venait relever ou altérer son goût. C'était l'authenticité et l'aspect naturel de ces aliments qui conféraient à ce rite sa solennité. Une fois ce rituel accompli, le nouveau prieur récitait une prière avant que les convives ne poursuivent le repas avec de la viande, du vin de qualité et des desserts.

Pour les plus jeunes, remis maintenant de leur rude épreuve, ce repas représentait une vraie fête, car les moments d'agrément étaient plutôt rares au monastère. Mais pour la plupart des autres Loups, il était synonyme de tristesse et d'affliction.

Raspoutine entra dans la grande salle et aussitôt tout le monde se leva pour saluer le nouveau maître, comme il était coutume de le faire.

— Merci, mes chers Loups! Ce soir est un grand soir pour moi-même. Je partage votre peine à la suite du départ de notre regretté Gregori. Pour certains, dit-il en portant son regard vers la table où prenaient place Ekaterina et Arkadi, la douleur est plus rude, et nous en sommes pleinement conscients. Nous ne remplacerons jamais ce saint homme, mais nous tâcherons d'amoindrir la peine que nous cause son décès.

Il prit sa coupe de vin qu'il leva à la hauteur de ses yeux.

— *Zdarov'ié** ! s'écria-t-il sans détacher son regard de celui du Chef de meute.

Tous les gobelets étaient levés pour accueillir le nouveau maître des Loups et trinquer en son honneur, même si certains avaient envie de retourner leur coupe de vin sur la table pour bien signifier qu'ils désapprouvaient cette nouvelle nomination.

CHAPITRE 7

Une légère brise vint caresser la joue de l'enfant, soulevant mollement quelques mèches bouclées de ses cheveux noirs comme du charbon. L'hiver fournissait de gros efforts pour prolonger son règne, mais la douceur du printemps affaiblissait ses forces jour après jour, heure après heure. Le mois d'avril était celui de l'espoir pour toutes les populations habitant l'hémisphère nord. Avec lui venaient les beaux jours, la renaissance de la nature et la certitude d'une vie meilleure. Chacun ressentait au fond de lui l'envie soudaine d'aller de l'avant et de sortir de la léthargie que provoquaient ces longs mois obscurs durant lesquels l'hiver dominait.

Viktor regardait attentivement Arkadi et toute sa concentration était employée à maintenir ce lien avec son mentor. Le garçonnet se tenait en équilibre au sommet d'une poutre de bois, à plus de trois mètres de hauteur. Il devait demeurer là, bien droit, sans faiblir, jusqu'à ce que l'exercice se termine. Il ne pouvait ni s'asseoir, ni transférer son poids d'une jambe à l'autre, ni même tenter de se dégourdir sans risquer une chute.

Cela faisait partie de l'entraînement quotidien que ses frères, ses sœurs et lui devaient accomplir. Leur temps était entièrement consacré aux différents apprentissages : le sport, les études, la méditation et le développement de l'esprit. Les journées étaient longues et astreignantes, mais jamais Arkadi n'entendait l'enfant s'en plaindre, contrairement à d'autres qui se défilaient à la moindre occasion.

Plus Viktor avançait en âge et plus il démontrait une force de caractère incroyable. Arkadi avait pressenti cette vigueur dès l'instant où il avait pris le nourrisson dans ses bras et, avec le temps, il s'apercevait que cette qualité, chez lui, allait en grandissant. Cela faisait maintenant deux heures que l'enfant se tenait immobile en haut de sa poutre de bois tout juste assez large pour qu'il pût y poser ses deux pieds collés. Le Chef de meute se demanda combien de temps encore il pourrait résister. Mais ce n'était pas cette fois-là qu'il le découvrirait puisque le tintement d'une cloche se fit entendre, indiquant à tous que l'exercice était terminé. Arkadi fit quelques pas vers la poutre en tendant les bras.

— Allez, saute !

Sans hésiter, totalement confiant, le jeune Viktor s'élança dans les bras de son père adoptif qui l'attrapa en éclatant de rire.

— Dis donc, toi, tu commences à être lourd ! Bientôt, je ne pourrai plus te porter, c'est toi qui vas devoir le faire.

— Oui, père ! Un jour, je vous porterai sur mes épaules…, répondit l'enfant en étirant ses lèvres dans un sourire joyeux, découvrant ainsi ses petites dents perlées.

Ses yeux bleu ciel exprimaient une féroce volonté.

— J'y compte bien ! répondit le Loup, le regard rempli de fierté et d'amour pour cet enfant incroyable qu'il considérait comme le sien.

Très souvent, les paroles de Gregori sur le détachement qu'il devait démontrer envers son protégé lui revenaient en mémoire. Arkadi se savait toutefois incapable d'agir de la sorte. Il avait tant souffert de cette froideur lorsque lui-même était enfant. Les souvenirs amers de cet isolement, de cette solitude de Louveteau occupaient encore ses pensées et son âme. Il se rappelait avec émoi les nuits où il cachait sa tête sous son oreiller pour que personne n'entendît ses pleurs. Il pleurait de ne pas connaître la chaleur d'une famille, le bonheur d'avoir une mère et un père à aimer. Il pleurait ses parents qu'il ne connaissait pas et que jamais il ne connaîtrait.

Un jour, alors qu'il se rendait aux cuisines pour y boire un verre de lait, Arkadi enfant avait surpris une scène qui allait le marquer pour le restant de sa vie. Il avait assisté par l'entrebâillement de la porte à une démonstration émouvante de l'attachement de la cuisinière envers son fils. Celui-ci s'était tailladé le doigt en voulant aider sa mère à couper des carottes, et ce fut dans les bras potelés de celle-ci que le gamin avait trouvé refuge. La robuste femme avait soigné son enfant avec délicatesse avant de le bercer pendant un instant. La scène avait révélé à Arkadi un sentiment qui lui était alors inconnu : la tendresse.

Le Jeune Loup était resté un bon moment dans l'embrasure à observer ce tableau pourtant ordinaire, mais qui revêtait à ses yeux d'enfant une grande importance : il lui présentait un aspect primordial d'un monde dont il ignorait tout. Soudain, il s'était mis à envier le fils de la cuisinière comme on envie le fils d'un roi.

Lui, promis à un grand avenir, aurait volontiers échangé sa place contre celle de cet enfant qui allait passer sa vie dans l'ombre du monastère, à y servir les moines comme le faisait sa famille depuis des générations. Une vie simple, sans prétention, mais remplie de sentiments que lui ne connaîtrait probablement jamais.

Comment Arkadi, maintenant adulte et conscient de tout cela, pouvait-il infliger ces mêmes tourments à Viktor ? C'était impossible et il le savait. Il avait tant souffert de ce manque d'amour et d'attention, de ce manque de tendresse de la part d'un parent, même si Gregori l'avait aimé à sa façon. Le patriarche lui avait toujours démontré son attachement et Arkadi avait toujours deviné l'amour du vieil homme pour lui. Mais le geste n'avait jamais accompagné l'expression des yeux.

Bien entendu, devant les autres, le Loup se montrait le plus souvent autoritaire et détaché envers Viktor, mais dès qu'il était seul avec lui, il s'empressait de faire tomber ce masque d'indifférence. L'enfant avait très vite compris le manège de son mentor et semblait fort bien s'en accommoder.

En posant Viktor sur le sol, Arkadi jeta un coup d'œil en direction de Sofia et de son mentor qui venaient dans leur direction. Il se fit le commentaire qu'il était heureux de ne pas avoir eu de fille. Non seulement il se serait fait père pour elle, mais également mère, comme il se connaissait. La torture aurait été double.

« Une fille... Pfff, ç'aurait été l'enfer ! »

— Tous les Chefs de meute sont convoqués dans le grand salon par le prieur, hurla soudain la voix d'un messager dans leur direction. Veuillez raccompagner vos protégés dans la cour intérieure du monastère, ils ont récréation.

Les enfants accueillirent cette annonce avec joie avant de s'élancer, sur leurs petites jambes, en direction du préau du cloître. Toute la fatigue des entraînements qu'ils venaient de subir venait de disparaître comme par enchantement.

Quatorze des vingt-deux Chefs de meute initiaux discutaient entre eux des exploits de leur apprenti avec une fierté qu'ils parvenaient difficilement à dissimuler, quand ils songeaient que sur les vingt-deux Louveteaux du départ, sept enfants n'avait pas réussi la première épreuve et qu'un était décédé. Arkadi devinait chez eux tout l'attachement qu'ils éprouvaient, eux aussi, envers leur élève.

Dans le grand salon du pavillon de la confrérie, ils attendaient l'arrivée du prieur, Raspoutine. Ce fut avec étonnement qu'ils découvrirent que le moine avait pris place dans un des fauteuils sans que personne ne le voie ni ne l'entende arriver. C'était un trait fort de sa personnalité : le nouveau Maître des Loups se déplaçait dans un silence inquiétant et avec une agilité déconcertante. On ne le voyait jamais arriver ni même repartir. L'homme apparaissait toujours au moment où l'on s'y attendait le moins. « Il est furtif comme un serpent » était souvent la réflexion qui venait à l'esprit de certains. Il va sans dire que cette attitude sournoise provoquait presque chaque fois un malaise chez les gens.

— Mes chers Loups, je vous ai réunis ce matin pour vous faire part de certaines décisions, énonça le religieux de sa voix grave.

Raspoutine ne parlait pas fort. C'était un moyen infaillible pour s'attirer toute l'attention de ses interlocuteurs.

— Dans un premier temps, commença-t-il, je tiens à féliciter vos protégés pour leurs exploits. On me rapporte que certains d'entre eux ont des facultés incroyables et très prometteuses. Vous faites de l'excellent travail. Nous sommes confiants, la relève sera digne de porter le sceau de la confrérie. À ce sujet, je vous informe que je serai présent, demain, à l'entraînement pour constater de mes yeux les progrès qu'ils ont faits. Par ailleurs, je vous annonce que je pars très bientôt pour Saint-Pétersbourg afin d'y rencontrer la famille royale. Il est temps pour moi, je pense, de connaître ceux que nous protégeons au péril de notre vie.

Arkadi tiqua, puisque l'arrivée récente du moine contredisait son expérience au service du pouvoir, mais il se garda bien de le montrer. Raspoutine n'avait jamais eu, à ce jour, à faire quoi que ce soit au péril de sa vie pour les Romanov. Arkadi n'avait déjà pas beaucoup d'estime pour le moine avant son assermentation, mais depuis, c'était pire. Le nouveau prieur affichait une telle suffisance, une telle arrogance que le Loup était incapable d'éprouver la moindre sympathie pour ce nouveau maître. D'ailleurs, le Chef de meute, comme bien d'autres, l'évitait tant qu'il le pouvait.

— Si je vous fais part de cette décision aujourd'hui, c'est pour en introduire une autre que j'ai prise et qui n'a que trop attendu. Notre ancien patriarche Gregori est mort, paix à son âme, et nous avons, comme il se doit, respecté une période de deuil, mais il est temps, maintenant, que nos Louveteaux passent la seconde épreuve.

Dans l'assemblée, quelques coups d'œil s'échangèrent.

— Nous ne pouvons attendre plus longtemps malgré le malheur qui a frappé notre communauté, car nous sommes déjà en mai. J'ai donc décidé, après avoir longuement réfléchi, que la deuxième épreuve symbolisant le baptême de l'initié aura lieu avant mon départ. Je décrète qu'elle se tiendra ce vendredi.

Le moine se tut un instant, le temps de faire, du regard, le tour de tous les visages pour y déceler une quelconque réaction. Ses yeux s'arrêtèrent sur celui d'Arkadi.

— Si vous souhaitez faire subir la deuxième épreuve à ces enfants avant votre départ, c'est que vous comptez être parti longtemps, est-ce que je me trompe ? demanda le Chef de meute en toisant son supérieur.

Raspoutine se redressa. Son regard bleu et perçant semblait sonder le Loup. Tous savaient maintenant que le nouveau maître, en poste depuis peu, n'aimait pas que l'on défie son autorité.

— Mes décisions ne vous concernent pas ! Je suis le seul ici mandaté pour décider des questions liées à la communauté, lança avec force le prieur, soudain plus hostile.

— Elles nous concernent dans la mesure où elles sont directement liées à la confrérie, répliqua aussitôt Arkadi en soutenant son regard.

En entendant les murmures désapprobateurs des autres Loups, le moine comprit qu'il devait faire preuve de plus d'habileté. Son expression changea presque aussitôt. Sa voix se radoucit et baissa d'un cran pour retrouver sa tonalité coutumière. C'était une faculté étonnante chez cet homme, cette capacité de changer aussi rapidement d'humeur.

— Mais je suis tout à fait prêt à vous donner quelques explications, après tout. Et, comme vous le dites, elles concernent directement la confrérie.

Le prieur se tut une seconde avant de reprendre :

— Comme vous l'avez compris, je serai, effectivement, absent quelques mois. Le temps nécessaire, en réalité, pour juger efficacement de la situation dans la ville impériale. Je reçois régulièrement, tout comme mon prédécesseur d'ailleurs, des rapports au sujet de menaces à peine voilées à l'endroit de notre tsar et de sa famille. Certaines rumeurs circulent. Ce n'est que sur place que je pourrai évaluer avec justesse l'ampleur du problème et l'urgence avec laquelle il convient d'intervenir. Je pars avec une meute pour pouvoir mieux agir si je dois le faire.

Raspoutine imbriqua ses longs doigts ensemble, ne laissant libres que ses deux index qu'il pointa, comme un seul doigt, en direction de ses lèvres. Il les tapota doucement comme s'il réfléchissait. Après une courte pause, il ajouta :

— Cependant, je ne laisserai pas le monastère sans gouvernail, soyez sans crainte. Avant mon départ, j'informerai mon sénéchal* des choses à savoir. L'homme choisi pour ce poste sera investi de toutes les compétences requises pour assumer, durant mon absence, les tâches liées au titre de prieur. La fonction exige quelqu'un de ferme qui n'a pas peur d'exprimer ses opinions et j'ai décidé que ce serait vous, Arkadi, qui prendriez ma place durant ces quelques mois.

Le Loup ouvrit de grands yeux étonnés, tandis que des rumeurs de mécontentement s'élevaient déjà dans la salle. Il n'était pas coutume d'élire ainsi un Chef de meute de la deuxième génération comme second du Grand Maître, comme il n'était pas d'usage non plus que le prieur désigne lui-même son remplaçant. Habituellement, pour éviter tout favoritisme, le maître de l'ordre devait en référer à la Chambre des douze, et c'était par une décision unanime qu'était choisi celui qui guiderait la communauté, advenant que le prieur fût dans l'impossibilité de gouverner. Non à titre de conseiller, puisque, en cela, le magistère était largement entouré, mais à titre décisionnaire.

Des murmures de contestation parcouraient toujours l'assemblée. Iakov, qui se tenait derrière le Grand Maître, regardait, abasourdi lui aussi, dans la direction d'Arkadi.

Malgré les espoirs et les longues prières du vieillard, Dieu ne l'avait toujours pas rappelé à ses côtés, auprès de son cher Gregori. Le vieux conseiller attendait la mort comme d'autres espèrent une vie meilleure. À défaut de quoi, il continuait de seconder le nouveau maître avec le plus d'objectivité possible, même si, intérieurement, il détestait singulièrement cet homme. Mais Gregori lui avait fait jurer, quelques instants avant sa mort, de veiller jusqu'à la toute fin sur la confrérie. Cette pénible prière avait suivi les confidences de son vieil ami et celles-ci lui revenaient sans cesse en mémoire. C'était en se faisant continuellement violence que le conseiller tentait de guider le moine avec efficacité. Il le faisait non pour l'homme qu'il jugeait véreux, mais pour la communauté, et la chose n'était pas simple. Il n'était pas toujours aisé de détacher les émotions de la raison. Car même si la tête de l'ordre était pourrie, comme le pensait le vieux guide, son cœur et ses organes n'en demeuraient pas moins sains. C'était pour cette unique raison qu'il demeurait en poste, pour le bien de la Russie, pour la mission qui leur avait échu. De Raspoutine, il se méfiait comme on se garde de la peste.

— SILEEEENCE! hurla le Grand Maître.

Aussitôt, les murmures se turent et les regards se portèrent vers le maître.

— Mais enfin, Raspoutine, émit le vieux conseiller dans son dos. Vous ne pouvez prendre une telle décision sans en faire part d'abord à la Chambre des douze. C'est contre les lois de notre confrérie.

Le nouveau prieur se tourna avec souplesse vers le conseiller qui le dévisageait, avant de dire d'une voix sans émotion mais autoritaire:

— Comme je viens de le dire, en tant que prieur de cette confrérie, je suis le seul à prendre les décisions. Je suis LE maître! Ne m'a-t-on pas élu à l'unanimité? Je considère donc que d'en référer à la Chambre des douze est une perte de temps. Je suis persuadé qu'en définitive, ma décision sera la leur.

Raspoutine se mit alors à tourner très lentement autour du vieil homme, le scrutant. Le conseiller, lui, tentait de le suivre du regard.

— À ce sujet, poursuivit-il, je pense également que certaines politiques désuètes devraient être révoquées. Je vais y voir. Nous devons évoluer, cher Iakov, puisque le monde est en constante mutation. Si nous ne pouvons nous adapter à ce nouveau siècle de changements qui s'ouvre devant nous, nous ne survivrons pas. Et si nous, nous mourons, la Russie s'éteindra également ! Ma décision est prise, et elle est irrévocable.

Raspoutine plongea son regard bleu acier dans celui du vieillard et pendant un court instant les deux hommes s'affrontèrent. Une étrange énergie se dégageait de cette tension entre eux qui se mesurait dans un duel de l'esprit. Le magistère afficha soudain un demi-sourire avant de tourner le dos au conseiller et de s'adresser de nouveau à l'ensemble des Chefs de meute.

— Si quelqu'un a quelque chose à dire, qu'il parle maintenant.

Un lourd silence fit écho aux paroles du moine. Personne n'osa se lancer dans une quelconque contestation. Il était clair, par ce qui venait de se dire et de se passer, que Raspoutine ne supporterait aucune objection. Après avoir fait le tour de tous les visages, le Grand Maître sourit de contentement avant de conclure :

— L'assemblée est levée, messieurs. Je vous salue.

Ce furent ses dernières paroles. En jetant tout de même un dernier coup d'œil à Arkadi, Raspoutine sortit aussitôt de la pièce, la tête haute, le sourire aux lèvres. Le pouvoir de persuasion de cet homme était étonnant, et le Loup en éprouva une grande appréhension. Un homme de cette trempe pouvait faire de grandes choses pour l'humanité si ses aptitudes étaient utilisées à bon escient. Et sur ce dernier point, Arkadi avait de sérieux doutes.

Un lourd silence s'ensuivit. Tous les Loups présents étaient estomaqués, c'était évident. Quelques-uns lorgnaient Arkadi du coin de l'œil, mais ce dernier fixait toujours la porte par laquelle le prieur venait de sortir.

— C'est insensé ! Jamais personne dans l'histoire de la confrérie n'a agi ainsi ! laissa enfin tomber Iakov.

— Et j'ai bien l'impression, renchérit Arkadi, que ce n'est qu'un début, mon vieil ami. Vous savez comme moi, dit-il en portant son regard vers le vieux et en baissant le ton, que cet homme sera celui qui marquera la fin de notre confrérie telle que nous la connaissons. Nous en avons là, je crois, les premiers signes.

Iakov poussa un profond soupir. Ses épaules déjà voûtées semblèrent s'arrondir un peu plus et son regard se troubla.

— Nous n'avons pas le choix, nous devons faire ce qu'il nous dit. C'est notre maître, intervint Sevastian, Chef de meute et père adoptif de Sofia.

Le regard incertain, il ajouta, un ton plus bas :

— Même si nous ne partageons pas ses opinions.

Cette proposition ranima les autres Loups, et ce fut dans un échange confus et bruyant qu'ils se mirent à émettre leurs opinions. Arkadi leva la main pour leur intimer l'ordre de se taire.

— Taisez-vous, je vous prie ! Nous n'arriverons à rien comme ça. Je pense que Sevastian a tout à fait raison. C'est lui, le prieur, et à ce titre nous devons lui obéir. Alors, je suggère que nous commencions par préparer nos Louveteaux pour leur deuxième épreuve. Nous sommes déjà mardi. Nous n'avons que trois jours. Ne perdons pas de vue notre rôle et notre devoir. N'oublions pas notre mission, car c'est à elle que nous devons une totale dévotion.

Après quelques marmonnements, tous les Chefs de meute s'éloignèrent, silencieux. Il était clair que plusieurs n'approuvaient pas ce qui venait de se passer, mais le temps n'était pas encore à la révolte. Le nouveau prieur n'appliquait pas les mêmes règles que le patriarche, et quelques-uns d'entre eux pensaient qu'ils devaient simplement s'adapter à cette nouvelle façon de faire. Le changement n'est jamais facile à vivre. Gregori avait marqué leur vie depuis vingt-cinq ans et le nouveau prieur était différent. Ils devraient s'ajuster, pensaient certains. Mais pas tous.

Arkadi et Iakov demeurèrent en arrière. Une fois seuls, les deux hommes échangèrent un long regard empreint d'appréhension.

— Cet homme provoquera notre perte, formula à voix basse le vieillard en se signant.

— Que pouvons-nous faire ? C'est le Grand Maître ! Il a été désigné par la Chambre des douze, et nous lui devons obéissance…

Iakov sonda un instant le regard noir et profond du Loup. Ce qu'il y vit lui confirma que le fils adoptif de son ami ne pensait pas un mot de ce qu'il venait de dire. Le conseiller lui répondit par un sourire triste, avant de poser sa vieille main osseuse sur l'avant-bras du jeune homme, comme pour le forcer à être attentif, et il chuchota :

— Cet homme est…

Au même moment, un faible bruit, le grincement d'une porte, se fit entendre. Iakov jeta un regard circulaire. Ses yeux fatigués scrutèrent les coins sombres du grand salon, mais il ne vit personne. Le bruit provenait probablement de l'extérieur. Il se retourna vers le Loup avant de lui dire dans un murmure :

— Arkadi… J'ai des choses à te dévoiler. J'attendais le bon moment et je pense que ce temps est venu. Mais pas ici, fit-il en jetant encore une fois un regard à la ronde. Retrouve-moi ce soir, à minuit, dans le scriptorium*.

Visiblement nerveux, le vieux conseiller ajouta cet avertissement :

— Prends garde à toi, mon petit, les murs ont des oreilles et le mal rôde au sein de notre communauté.

À petits pas et le dos voûté, l'homme s'éloigna rapidement en jetant des regards inquiets autour de lui.

La nuit était tombée depuis quelques heures déjà sur tous les États de la Russie. Un silence profond régnait entre les murs du pavillon de la confrérie. Les enfants étaient couchés maintenant, tout comme la majorité des Chefs de meute. Seuls quelques retardataires discutaient dans le réfectoire devant un dernier verre de vin chaud, tandis que, dans les dépendances, les domestiques s'activaient à tout ranger avant d'aller eux aussi retrouver leurs paillasses. La nuit était froide malgré la période de l'année et quelques braseros réchauffaient et éclairaient faiblement, ici et là, les couloirs sombres du monastère.

Arkadi tira avec une extrême précaution le loquet de la porte de sa cellule avant de sortir à pas de loup. Rapide et silencieux, il descendit les marches de pierre pour enfiler, telle une ombre, les quelques corridors qui menaient à l'ancien scriptorium. Depuis plusieurs décennies, la salle servait de bibliothèque et de salle d'étude pour les jeunes

Loups. Mais elle avait conservé son appellation d'origine pour la majorité des gens du prieuré.

Un rai de lumière filtrait sous la double porte de bois couverte de ferronneries. « Iakov est probablement arrivé », pensa le Loup en espérant qu'il ne tomberait pas sur un Chef de meute à la recherche d'un livre de chevet.

Avec prudence, Arkadi poussa le lourd battant, mais il ne vit personne. Toujours le plus silencieusement possible, il pénétra dans la salle en jetant des regards furtifs à la ronde, puis se rendit vers les cabinets de travail situés légèrement en retrait. Ces petits cagibis servaient d'isoloirs pour ceux qui souhaitaient lire ou travailler dans le calme. Il ouvrit la première porte ; rien. Personne dans le deuxième cagibi non plus. Il entendit soudain un faible râle, presque imperceptible. Aussitôt alarmé, Arkadi se concentra pour analyser son environnement, mais il ne percevait aucune menace. Un second geignement attira son attention sur la gauche, derrière une vieille colonne de pierre près de laquelle deux sièges en velours rouge se faisaient face. Dans la lumière diffuse, le Loup devina la silhouette du vieux conseiller. En deux enjambées, il se trouva à ses côtés. L'homme semblait mal, il était avachi sur son siège.

— Iakov, mon vieil ami…

Arkadi constata alors que l'homme respirait difficilement et voulut aussitôt s'élancer pour faire quérir un médecin, lorsque la main osseuse et sans force du vieillard lui agrippa le bras.

— Non, non, Arkadi… il est trop tard. Je pars, mon heure est enfin arrivée.

— Qu'avez-vous? demanda Arkadi en se mettant à genoux près du vieux.

— On m'a libéré de ce poids terrestre…, émit le mourant.

Le Loup fronça les sourcils.

— Que voulez-vous dire par: «On m'a libéré»?

— Lui… assassiné… lui, m'a assassiné… Méfie-toi de lui… cherche à te manipuler. Gregori… maintenant, mon tour… Méfie-toi… méfie-toi…

Le conseiller se tut. Son souffle n'était plus qu'un râle. Arkadi se concentra pour sonder l'esprit du vieil homme, mais il n'y parvint pas. Les révélations du mourant encombraient son esprit, les émotions s'entrechoquaient, rendant impossible toute transmission de pensées.

«Assassiné? Gregori, maintenant mon tour? A-t-on assassiné le patriarche pour ensuite s'en prendre à son conseiller? Qu'est-ce que c'est que cette histoire?»

Un seul nom lui vint à l'esprit: Raspoutine. Mais en l'absence de preuve, toute accusation ne reposait que sur des présomptions. Et pourtant, cela paraissait si évident aux yeux d'Arkadi. Qui d'autre, dans la communauté, aurait pu commettre un tel geste?

— Qui, Iakov? Qui vous a assassiné?

Le vieillard ouvrit une dernière fois les yeux et, dans un chuchotement à peine audible, il dit:

— Prends garde, Arkadi… Ekaterina, Viktoor… Viiiktooorrr… danger… la mort…

— Quoi, Viktor?

La tête du vieillard roula sur le côté avant de retomber, inerte. Après avoir vérifié le pouls du conseiller, Arkadi ferma, avec délicatesse et respect, ses yeux vieillis et maintenant dépourvus de vie. Sans chercher à se retenir, le Loup se mit à pleurer. Il contempla le vieillard quelques secondes, le regard brouillé de larmes. Il reprit sa main osseuse dans les siennes, qui semblaient appartenir à un colosse en comparaison, avant de prier. Le Loup avait l'impression de perdre un autre membre de sa famille. D'abord Gregori, et maintenant Iakov. Depuis sa naissance, ces deux hommes avaient toujours occupé toute sa vie. Il pria pendant de longues minutes pour le repos de leur âme. Puis, il ouvrit enfin les yeux, réalisant soudain qu'il se trouvait dans la bibliothèque et qu'à tout moment, quelqu'un pouvait voir la lumière et entrer. Arkadi aspira un grand coup, il devait prendre sur lui et analyser la situation avec le plus d'objectivité possible.

Sans perdre une seconde, il se mit à examiner le corps inerte du vieil homme, à la recherche d'un quelconque indice susceptible de confirmer les accusations de meurtre qu'avait lancées le conseiller avant de trépasser. Mais aucune blessure n'était apparente, aucun signe d'agression, aucune contusion, pas même la moindre égratignure.

Arkadi sourcilla. « Comment Iakov a-t-il pu être assassiné si aucune marque de sévices n'apparaît sur son corps ? »

Le Loup contemplait le cadavre du vieil ami de son père adoptif, comme s'il attendait qu'il lui apprenne quelque chose.

« Aurait-on pu provoquer chez lui une crise cardiaque ? Ça me semble improbable, et je ne vois pas comment on s'y serait pris… Et puis, ce serait prendre de grands risques. Et si le vieux avait survécu ?… Non, non, c'est autre chose. Quelque chose de plus définitif… Nous avions rendez-vous ici tous les deux, est-ce que le meurtrier le savait ? J'imagine que oui ! Donc, le meurtre a eu lieu peu de temps avant notre rencontre. Par ailleurs, Iakov est peut-être venu mourir ici, où nous devions nous rencontrer. Il a peut-être été tué autre part… Ah, mais j'y suis, du poison ! Voilà qui est clair : du poison, ça ne peut être que cela… Il a été empoisonné. Quelqu'un aura probablement versé la chose dans… son thé. »

Arkadi frotta son visage avec vigueur comme pour se forcer à prendre conscience de la réalité. Il se leva et fit le tour de la salle à la recherche d'un quelconque indice, mais il ne trouva rien. Il n'en fut qu'à demi surpris. Il retourna auprès du conseiller qu'il prit dans ses bras pour le soulever avec délicatesse. Il était devenu si léger, lui qui avait été si robuste dans le passé. Avec précaution, le Chef de meute ramena le corps du vieillard dans la chambre de ce dernier pour le déposer doucement sur son lit.

— Vous pouvez maintenant dormir en paix, cher ami, et aller retrouver votre ancien complice. Veillez sur nous, pour qui la route est encore longue.

Arkadi promena son regard dans la pièce avant de tomber sur une tasse vide. Il renifla son contenu, mais aucune odeur suspecte ne s'en dégageait. Il entra dans le cabinet de toilettes attenant à la chambre et en fit le tour. Il ignorait ce qu'il cherchait, mais il inspectait les lieux avec attention. Le Chef de meute poursuivit ses investigations en allant fouiller les affaires personnelles du vieillard à la recherche d'un indice, de quelque chose de suspect. Après avoir fait le tour du petit appartement de conseiller, il revint vers le lit avec une paire de ciseaux qu'il venait de dénicher dans un tiroir. Respectueusement, il coupa une mèche des cheveux blancs d'Iakov et quelques bouts d'ongles. Pendant un instant, il fixa celui qui n'était plus, puis l'embrassa sur le front.

En silence, il quitta la pièce, puis referma lentement la porte tout en sachant que la dépouille du conseiller serait découverte au petit matin par un domestique.

«Le médecin conclura certainement à une mort naturelle. Le pauvre homme était si vieux que personne ne soupçonnera autre chose, et surtout pas un meurtre.»

Arkadi ferma doucement la porte de sa propre chambre, avant de s'y adosser. Son visage était bouleversé. Ses yeux si profonds se teintaient de haine. Il respirait avec difficulté en repensant aux minces, mais si effrayantes confidences d'Iakov: le vieil homme avait été assassiné, ainsi que Gregori, son père adoptif, son mentor. Et tout portait à croire que l'assassin ne pouvait être que ce moine dépravé.

Bien sûr, Iakov ne l'avait pas formellement identifié (il n'avait d'ailleurs accusé personne), mais qui d'autre que lui aurait eu intérêt à se débarrasser de ces deux vieux? Il fallait en outre qu'il fût fort pressé, pour assassiner deux vieillards qui n'en avaient plus pour bien longtemps à vivre. Le temps aurait très bien pu se charger de cette tâche, c'était une question de semaines, de mois peut-être. Cet acte répondait assurément à une impérative nécessité de faire taire les deux octogénaires. Leur présence devait représenter une menace bien réelle pour qu'on décidât de les éliminer. Et aux yeux d'Arkadi, le seul individu qui avait tout à gagner dans cette sombre histoire était bien le nouveau prieur et maître: Raspoutine-Novyï.

Néanmoins, s'il voulait accuser Raspoutine des meurtres du Grand Maître et de son conseiller, il devrait démontrer sa culpabilité et, par conséquent, se mettre à la recherche d'indices. Il contempla un instant la mèche de cheveux blancs et les quelques bouts d'ongles dans le creux de sa main avant de refermer ses doigts tremblants en un poing serré.

— Je suis certain que c'est toi qui te caches derrière ces horribles actes. Les quelques paroles décousues du vieux Iakov te désignaient, j'en suis profondément persuadé. Je t'aurai… je t'aurai, Raspoutine. Même si je dois y consacrer le restant de ma vie, je prouverai que tu es un meurtrier… Tes crimes ne resteront pas impunis, j'en fais la promesse, murmura le Loup, la voix saturée de haine.

L'enterrement du fidèle conseiller Iakov Popovski était prévu pour la semaine suivante. La dépouille du frère lai se trouvait dans une cellule contiguë à la chapelle gothique et, comme le voulait la coutume, le corps serait, pendant une semaine, veillé continuellement par des frères qui se relayeraient toutes les cinq heures.

Le médecin, tel que l'avait présumé Arkadi, avait tout de suite conclu à une mort naturelle. L'octogénaire s'était éteint dans son lit, assurément victime d'une crise cardiaque fatale. Aucune autopsie n'était nécessaire pour corroborer ce constat. Toujours de l'avis du praticien, il n'y avait pas de plus belle façon de partir que celle-ci : mourir pendant son sommeil ! Le vieil homme n'avait pas souffert, avait-il conclu, sûr de lui. Arkadi s'était bien gardé de lui dire qu'il avait tort et que la fin du conseiller était loin d'avoir été aussi poétique.

Raspoutine avait fait réunir tout le monde dans la cathédrale. Une messe y serait célébrée pour le vieux conseiller, avant l'enterrement prévu quelques jours plus tard. Il avait également ordonné que toutes les activités quotidiennes, le jour des funérailles, fussent maintenues. Après tout, celui qui venait de les quitter n'était pas un Loup, mais un frère lai. Et malgré toute la ferveur qu'il avait déployée durant sa vie à servir la confrérie, il était hors de question de décréter une journée de deuil !

— Nous honorerons ce deuil dans nos cœurs. Prions pour son âme, avait conclu le prieur en baissant la tête, prenant une attitude de repentant.

Cette décision avait fait tiquer plusieurs, mais nul n'osa manifester publiquement son désaccord. Parmi tous ceux qui avaient apprécié le vieil homme et qui pleuraient son départ, seuls Ekaterina et Arkadi furent autorisés à prendre la journée pour se recueillir auprès du défunt. Les autres durent retourner à leurs obligations.

Arkadi était bouleversé par les événements, et Ekaterina cherchait à en comprendre les raisons. Elle savait fort bien que la mort de Gregori affectait grandement son demi-frère adoptif, mais pourquoi, se demandait-elle, celle d'Iakov le secouait-elle autant ? Elle était également affligée par la disparition des deux hommes. Après tout, il s'agissait de son propre père, et l'autre avait très souvent agi en protecteur envers elle. Mais la désolation d'Arkadi semblait encore plus profonde que son propre chagrin, et cela intriguait la jeune femme.

Ekaterina savait que le Loup, malgré ses airs distants, était un être sensible. Elle avait fréquemment eu l'occasion de le constater, et c'était d'ailleurs une chose que le Grand Maître, son père, avait très souvent reprochée à son élève. Arkadi vivait trop près de ses émotions, ce n'était un secret pour personne. Mais la tristesse que démontrait le Chef de meute semblait presque insurmontable. Trop lourde et trop présente.

Arkadi, de son côté, suivait fort bien le raisonnement de sa sœur d'armes*. Elle ne disait rien, mais ses pensées étaient si évidentes qu'il n'était pas nécessaire de posséder des dons particuliers pour lire en elle. Pour cette raison, et à cause de l'estime qu'il avait pour elle, il était partagé entre l'envie de la mettre au courant et la nécessité de taire ce qu'il savait. Il était évident que si la Louve venait à apprendre certains détails concernant la mort son père et celle de son vieil ami, elle ne parviendrait pas à demeurer maîtresse d'elle-même. Non. Il était préférable d'attendre, car après tout, il n'avait aucune preuve de ce qu'il avançait, juste des présomptions nées des paroles incohérentes d'un mourant : Iakov n'avait pas désigné Raspoutine comme étant son meurtrier et celui du patriarche. C'était lui, Arkadi, qui avait sauté à cette conclusion. Non, avant d'en parler à qui que ce fût, il devait rassembler des preuves. Il devait s'assurer que le moine ne s'en tirerait pas le jour où, publiquement, il l'accuserait du meurtre des deux hommes.

CHAPITRE 8

Pavillon de la confrérie du monastère Ipatiev,
Anneau d'or,
15 avril 1904

Une lourde porte de bois doublée d'une imposante grille en fer forgé s'ouvrait sur une volée de marches de pierre de taille qui formaient un large escalier en colimaçon, lequel plongeait vers les profondeurs de cette entrée clandestine. La longue descente, composée de soixante-quatre* marches, menait à une unique pièce. Dépourvue de fenêtre et parfaitement circulaire, la salle, assez spacieuse, était éclairée de torches espacées les unes des autres de quatre mètres. Les flammes vacillaient légèrement, créant ainsi des jeux d'ombres sur les tentures de velours noir et rouge foncé qui ornaient les murs comme des oriflammes.

Six braseros ceinturaient la pièce, réchauffant l'espace de leurs braises incandescentes. Seulement quelques banquettes et une table en bois garnissaient sans façon les lieux austères.

Sur le mur face à l'escalier était gravée à même la pierre une roue rouge dans laquelle quatre rayons formaient une croix noire : le symbole de la Confrérie des Loups. Le même emblème, monumental cette fois, avait été tracé sur le sol.

C'était à l'intérieur de ce cercle, à même les dalles froides, que les quatorze enfants, âgés de quatre ans, étaient allongés face contre terre. La tête vers l'extérieur du cercle, les bras en croix et les pieds qui se touchaient formaient les rayons d'une roue humaine. Les élus étaient entièrement vêtus de blanc*. Ils attendaient dans un silence absolu le début de la deuxième épreuve, que l'on désignait comme le baptême du feu. Leurs pères adoptifs, vêtus d'une longue cape rouge* foncé, presque bordeaux, et la tête cachée sous une large capuche, les encerclaient en psalmodiant des prières. L'ambiance solennelle était empreinte de mystère. Quelques minutes encore et minuit sonnerait au carillon du campanile. La cérémonie pouvait débuter.

Raspoutine apparut, fidèle à ses habitudes, sans que personne ne le vît arriver. Il se plaça devant le mur marqué du symbole de l'ordre et entama le rituel initiatique, demeuré inchangé depuis l'établissement de la confrérie, plusieurs siècles auparavant.

— Mes Loups, nous voici réunis pour faire subir à ces jeunes initiés leur deuxième épreuve : le baptême du feu. Cette étape marquera leur passage au degré de Jeune Loup, refermant ainsi le chapitre de leur petite enfance et de leur ignorance. Ces enfants ont été enlevés à leurs familles parce qu'ils ont été désignés par les augures. Leur apport à ce monde sera important. C'est à nous que revient la charge de les préparer à leur destin. Leur initiation ouvrira leur esprit, car le profane ne peut rien connaître tant qu'il demeure mystifié. Il est temps pour eux de découvrir l'*arcana arcanorum*.

Le prieur marqua une pause, avant de reprendre en joignant les mains :

— Sont-ils prêts à entrer dans le secret ?

— Oui, Grand Maître, proclamèrent d'une même voix les Loups.

— En sont-ils dignes ?

— Oui, Grand Maître.

— Poursuivront-ils notre œuvre au mépris de leur propre vie ?

— Oui, Grand Maître, répondirent, toujours à l'unisson, les Chefs de meute.

Raspoutine rabattit à son tour sa capuche sur sa tête avant d'ouvrir les bras. Aussitôt, deux frères lais se dirigèrent vers l'un des braseros pour se saisir de fers chauffés à blanc. À l'intérieur du cercle, deux autres frères passèrent d'enfant en enfant pour leur retirer leur chemise, dénudant ainsi le haut de leur petit corps. Les Loups entonnèrent un chant. Leurs voix n'en formaient qu'une, basse, presque monocorde, comme une lamentation. La tonalité, particulièrement grave, avait pour but de plonger les esprits dans un état de transe. Dans un mouvement parfaitement coordonné, les deux frères lais s'approchèrent des enfants, tandis que les voix marquaient la cadence, plongeant ainsi les Louveteaux, préalablement drogués, dans un état de semi-conscience.

Le premier à recevoir le baptême du feu fut un garçon du nom de Vadim. Sur son omoplate droite, sur sa peau délicate et blanche, le fer incandescent s'appliqua pour marquer sa chair, jusqu'à ce qu'une odeur âcre s'en dégage. L'enfant poussa un hurlement avant de s'évanouir.

Les chants se firent plus forts et leur rythme, plus rapide pour couvrir les plaintes et, après quelques minutes, les quatorze enfants furent marqués sur l'omoplate droite, au fer rouge, du sceau de la Confrérie des Loups.

Ce marquage imprégnait non seulement leur chair, mais également leur esprit. Ils étaient maintenant partie prenante du secret. Ils venaient de lui offrir leur vie en passant la frontière qui séparait l'initié de l'ignorant.

Les Chefs de meute s'allièrent alors autour des adeptes. Ils croisèrent les bras sur leur poitrine en se tenant chacun les mains, formant ainsi les maillons d'une chaîne, symbole de résistance tel qu'il était défini par l'ordre.

Le marquage au fer de l'épreuve du feu plongeait généralement les novices dans un état de fièvre et de délire pendant plusieurs heures, voire plusieurs jours. Chaque Chef de meute devait donc dormir au chevet de son élève pour veiller sur lui et soigner sa plaie jusqu'à ce que l'enfant aille mieux.

Arkadi surveillait le sommeil agité de son fils adoptif depuis maintenant vingt-quatre heures. Viktor avait souffert d'une forte fièvre pendant les douze premières heures, mais, depuis un moment, elle était tombée, au grand soulagement du Loup. Tous les enfants semblaient bien se porter et se remettaient tranquillement du choc qu'avait subi leur corps et de la violence qu'avait ressentie leur esprit.

L'épreuve du monogramme était une expérience difficile à passer sur le plan psychologique, car la douleur était si intense que la raison, pour des êtres aussi jeunes, pouvait chercher refuge ailleurs. L'enfant ne comprenait pas encore toute la portée d'un tel sacrifice ni ses motivations, d'ailleurs. L'apprenti ne faisait que répondre aux instances de son père adoptif, il ne concevait pas l'abnégation au-delà de sa volonté de faire plaisir à son mentor. L'enfant ne cherchait qu'à exaucer le souhait de son seul parent. À quatre ans, on ne réalise pas encore la portée de ses choix. Certains adultes n'y parviennent jamais !

Le corps, lui, se remettait plus facilement de ce stress. La brûlure, aussi profonde fût-elle, était ointe de quelque onguent médicinal qui en accélérait la guérison, mais, pour l'âme, il n'y avait pas de baume miracle. L'enfant devait recevoir le baptême, et c'était le devoir de son père adoptif de le préparer en conséquence. Une mauvaise préparation pouvait être néfaste au développement de jeune Louveteau, qui resterait marqué à vie par un tel traumatisme.

Ekaterina était venue plusieurs fois voir les Jeunes Loups, appliquant sur leur peau meurtrie des pommades qu'elle préparait elle-même. Et encore une fois, elle se félicita de ne pas avoir été choisie pour éduquer un Louveteau. L'épreuve aurait été trop difficile pour elle et elle le savait. Elle se remettait à peine de la mort de son père, elle voyait difficilement comment elle aurait pu y parvenir tout en s'occupant d'un si jeune bambin.

Après avoir frappé doucement à la porte, elle entra dans la chambre d'Arkadi. Elle apportait à

Viktor un bouillon d'herbes qui visait à régénérer ses forces. L'enfant dormait toujours.

— Il devrait bientôt se réveiller, l'informa Arkadi en prenant le bol de ses mains pour le poser sur la table de nuit.

La jeune femme ne dit rien. Elle se pencha sur l'enfant pour replacer une de ses mèches de cheveux, qui était demeurée collée à son front fiévreux.

— Je trouve ces épreuves intolérables. Je suis heureuse de ne pas avoir de Louveteau à ma charge, murmura-t-elle sans quitter Viktor des yeux. Je me demande souvent, en regardant le supplice de ces êtres si fragiles, comment nous, nous sommes parvenus à passer au travers de ces exercices. Heureusement, je ne conserve aucun souvenir de ces horribles rites de passage.

Arkadi fixait le garçon endormi. Il était songeur, comme si les paroles de la jeune femme le plongeaient dans un passé très lointain.

— Je me souviens, moi, de notre baptême du feu, répondit-il en baissant la voix. Parfois, il m'arrive de ressentir l'insupportable douleur du fer qui pénètre dans ma peau et qui me brûle jusqu'à ce que la souffrance me fasse défaillir. Je m'entends encore hurler de douleur pour ensuite culbuter dans le néant. Mes souvenirs reprennent alors que nous étions dans la même chambre, dans les appartements de Gregori qui avait passé de nombreuses nuits à nos côtés pour nous soigner. Plus particulièrement auprès de toi, que la fièvre ne quittait pas. Je revois encore son visage inquiet penché sur l'horrible plaie purulente de ton épaule… Ta guérison avait été longue.

Dans la lumière diffuse de la chambre, Arkadi ne voyait d'Ekaterina que son profil et sa chevelure qui se découpaient comme des ombres chinoises. La jeune femme demeurait muette, et Arkadi comprit à son silence toute la peine qu'elle éprouvait à l'évocation de ce souvenir de son père. Le Loup prit place à son tour sur le rebord du lit avant de poursuivre :

— Il avait passé toutes ses nuits à notre chevet, sans jamais prendre un instant de repos… Il nous aimait tant.

Ekaterina s'obstinait dans son silence. Le Chef de meute comprit qu'il devait changer de sujet. La douleur de la perte de Gregori était encore trop présente dans la mémoire et dans le cœur de sa sœur d'armes. Tenter d'évoquer des souvenirs qui viendraient combler le sentiment de vide qu'elle éprouvait en songeant à ce père qu'elle avait toujours accusé d'indifférence était, pour le moment, vain. Il se racla doucement la gorge, avant de reprendre sur un autre ton :

— Oui, ces épreuves sont très difficiles à vivre, je te l'accorde. Voir souffrir les êtres que l'on apprécie n'est pas une chose facile à accepter. Je te comprends… si tu savais. Mais c'est le prix à payer pour faire partie de notre confrérie, où notre engagement n'est pas non plus facile. Nous vivons tout de même dans un milieu privilégié, car peu sont appelés à connaître la vie que nous menons. Notre destinée est incomparable. Dans sa famille, cet enfant aurait été voué à une vie de servitude, même si la modeste terre de ses parents leur appartenait. Les conditions actuelles sont précaires pour les petits fermiers et les humbles gens.

La jeune femme tourna enfin la tête vers lui. Et bien qu'Arkadi vienne de changer de sujet, elle le gratifia d'un regard complaisant. Elle comprenait le double sens de ses paroles et ce qu'il cherchait à faire. En évoquant ainsi leurs épreuves passées et celles que Viktor vivait aujourd'hui, il essayait de la rassurer, de lui faire comprendre que tout allait bien se passer dans l'avenir. Viktor allait très vite se remettre, et la vie, sans Gregori, allait poursuivre son cours. Un jour prochain, elle connaîtrait la tranquillité. Arkadi était toujours si gentil avec elle, si attentionné. Ce n'était que depuis la mort de Gregori qu'elle s'en rendait vraiment compte. Avant, elle avait toujours été trop occupée à lui en vouloir d'avoir usurpé sa place auprès de son père. Mais maintenant, elle découvrait en lui quelqu'un sur qui, elle le savait, elle pouvait compter. La présence d'Arkadi à ses côtés l'aidait à atténuer sa peine. Elle lui sourit, convaincue qu'il ne pouvait la voir. Mais elle se trompait. Malgré la pénombre qui régnait dans la pièce, Arkadi interpréta avec justesse son attitude. Quelque chose de moins tendu se dégageait maintenant d'elle.

C'était une des grandes forces du Loup de lire les êtres, notamment grâce à leur posture et à ce qu'ils dégageaient. Arkadi comprenait les gens et saisissait leurs intentions par leurs comportements. Et puis, il la connaissait si bien, après toutes ces années passées auprès d'elle.

— Oui, tu as certainement raison. Les épreuves ne sont rien en regard de la vie exceptionnelle qui l'attend.

Elle reporta un moment son attention vers l'enfant qui dormait toujours profondément. Son souffle était régulier. Les infusions de plantes médicinales données aux Jeunes Loups étaient additionnées d'un narcotique qui permettait aux enfants de dormir d'un sommeil réparateur.

— Dis-moi, Arkadi, que penses-tu de la nomination de Raspoutine ? demanda-t-elle, changeant sciemment de sujet.

Depuis l'arrivée du moine au poste de prieur, ils n'avaient pas eu l'occasion d'en parler : leurs occupations les avaient tenus éloignés l'un de l'autre. Et les quelques fois où ils auraient pu aborder le sujet, ils étaient toujours étroitement entourés des autres Loups de la confrérie ou de quelques domestiques. Rares avaient été les moments où ils s'étaient retrouvés réellement seuls. Arkadi s'occupait de l'éducation de Viktor et passait la majorité de son temps en compagnie de l'enfant. Ekaterina veillait, de son côté, à la supervision et à l'entraînement des Loups. Excellente au tir, particulièrement à l'arbalète et à l'arc, la jeune femme enseignait son art aux autres Chefs de meute.

— Que veux-tu savoir exactement ?

Elle se leva tranquillement du lit où reposait le gamin pour se diriger vers la seule fenêtre de la pièce. Elle donnait vue hors des murs du monastère.

— Ne trouves-tu pas que sa nomination a été, disons... bien hâtive ?

Arkadi l'avait rejointe à la fenêtre pour que leurs échanges ne réveillent pas l'enfant. Il laissa son regard glisser vers les profondeurs de la forêt qu'il savait toute proche. La nuit était sombre et le paysage qu'ils regardaient n'offrait que des ombres qui se découpaient à peine sur un fond d'obscurité. Le ciel, dégagé, se parsemait d'étoiles et la pureté de la voûte céleste offrait une vue particulièrement claire sur la Voie lactée.

— Les délais ont été respectés, dit-il tout en sachant que ce n'était pas de cela que sa demi-sœur parlait.

— Tu joues à l'innocent ou tu es vraiment idiot ? lança-t-elle non sans ironie. Je te parle de sa candidature à la succession au titre avant le décès de... de Gregori, dit-elle enfin.

Arkadi hésitait. Devait-il poursuivre cette conversation ? Il devinait où la jeune femme voulait en venir. Il savait que le terrain sur lequel ils s'avançaient pouvait se révéler particulièrement glissant. Mais, pensa-t-il, Ekaterina était la seule au monastère avec qui il avait l'impression de pouvoir échanger en toute liberté sur le sujet.

— Oui, effectivement, répondit-il enfin. Ton père trouvait également étrange que cet homme qui venait tout juste d'entrer dans la confrérie se retrouve en si peu de temps sur la liste des candidats à la fonction de Grand Maître.

— Tout comme Iakov, ajouta la Louve. Comment a-t-il pu grimper aussi rapidement les échelons ? Il faut généralement une vie pour accéder à ce privilège. Même toi, qui es le meilleur des Loups, tu n'aurais pu obtenir ce droit.

Arkadi inspira un grand coup. Elle avait raison. La progression du moine au sein de la confrérie n'avait rien de naturel et, cela, tout le monde au prieuré devait en être parfaitement conscient. Mais sa nomination à la charge de Grand Maître était encore plus exceptionnelle. C'était à l'encontre de la philosophie de la communauté qui prônait une ascension lente afin que les initiés comprennent et vivent pleinement les étapes de gradation. L'expérience acquise au cours de ces longues années de cheminement devenait un gage des aptitudes de l'aspirant. Ce moine était parvenu en quelque temps à passer de simple initié à prieur de la confrérie. Non, effectivement, il n'y avait rien de bien normal là-dedans.

— Je ne comprends pas, Ekaterina… Mais je constate qu'il y a plusieurs choses que nous ignorons au sujet de cet étrange personnage…

Dans cette toute petite phrase, la jeune femme lut bien plus que ce que les mots énonçaient. Elle tourna la tête vers Arkadi en fronçant les sourcils.

— Que veux-tu dire?

— Rien… rien du tout! Pour l'instant du moins.

Cette fois, Ekaterina se tourna tout à fait vers lui. Malgré la pénombre, il vit que ses yeux émettaient un éclat qui trahissait sa curiosité. Cette petite lueur fit sourire Arkadi.

— Je ne peux rien te dire maintenant, mais fais-moi confiance. Bientôt, je te mettrai au courant de tout ce que je sais. Mais avant, je dois chercher des preuves…

— Des preuves? Mais…

— Non, n'insiste pas, je ne te dirai rien. C'est mieux ainsi, crois-moi!

Comme si Viktor avait voulu aider son père adoptif à se sortir de cette impasse, le garçon émit un gémissement qui fit accourir le Chef de meute et la fille de Gregori à son chevet.

CHAPITRE 9

Palais de la Moïka
Quai de la Moïka, Saint-Pétersbourg

Le prince Felix Youssoupoff*, comte Soumakoroff-Elston, poussa l'un des deux battants magnifiquement ouvragés de la porte de son cabinet de travail.

La journée s'annonçait bonne. Selon son astrologue, elle serait ponctuée d'un événement insolite, d'une nouvelle intéressante. Curieux d'en découvrir l'objet, le prince s'était levé dès l'aurore, intrigué et ravi. Après ses habituelles activités matinales, comme son entraînement de tir et d'escrime et sa chevauchée à travers le parc cerclant le domaine, et après avoir pris un copieux petit-déjeuner composé de *kalatchi**, de *blini**, de caviar, de fromage et de *kacha**, le prince put enfin se diriger d'un pas vif vers son lieu d'étude, son « repaire », comme il aimait l'appeler.

L'homme y passait le plus clair de son temps, car il aimait particulièrement le lieu et s'y sentait bien. Vaste et très éclairée par quatre hautes fenêtres en imposte, la pièce offrait un confort absolu, en plus d'être somptueusement décorée.

Fabergé*, le célèbre joaillier pétersbourgeois, avait façonné pour le prince une série de figurines en émail, en or et en argent qui ornaient majestueusement le large manteau de marbre noir de la cheminée, en plus de cet extraordinaire œuf en or qui faisait office de pendule.

Les murs se tapissaient de tableaux de maître, dont quatre Renoir, et tous les meubles avaient été fabriqués dans du bois d'acajou. La pièce était également agrémentée d'un coin rencontre, près du foyer, où deux causeuses se faisaient face, de hautes bibliothèques bien garnies et, dans un coin en retrait, d'un lit de camp couvert d'un tapis d'Orient et de nombreux coussins satinés. La présence de ce lit en apparence si peu invitant étonnait toujours, mais il était tout de même assez confortable pour que le prince y passe très souvent la nuit. Cette pièce était la sienne, et c'était de là qu'il régissait son monde.

Sur son bureau de style baroque, le courrier du jour et quelques dossiers l'attendaient en deux piles parfaitement alignées. Ce qui fit sourire le prince qui reconnaissait bien là l'ordre et la méthode de son secrétaire. À son service depuis quelques années maintenant, Fiodor avait su transmettre à son maître le goût de la perfection et du travail bien fait.

Felix Youssoupoff, assez grand, svelte, d'une beauté androgyne*, prit place dans le large fauteuil de brocard rouge et se mit au travail. Il avait un horaire chargé ; quelques visites d'usines dans le nord de la ville et une rencontre avec plusieurs financiers russes et étrangers s'inscrivaient à son emploi du temps. Mais avant tout, il devait prendre connaissance de ses dossiers et de son courrier. C'était ainsi qu'il aimait commencer sa journée, et l'ordre, à ses yeux, était une question d'honneur. Soigneusement empilé dans un dossier en cuir brun légèrement patiné et frappé aux armes de la famille, le courrier du jour attendait là, décacheté, d'être lu.

La correspondance du prince était classée par ordre chronologique de réception. La première lettre, qui datait donc de plus longtemps, lui sembla sans grande importance : elle traitait d'une affaire de réclamation entre deux propriétaires qui se disputaient un bout de terre où passait une rivière. Le comte lut la missive rapidement avant de la reposer sur le bureau en grimaçant. Ce genre d'affaire l'ennuyait au plus haut point et même si elle le concernait directement, car le litige se déroulait sur ses terres, l'homme n'en avait cure. Fiodor, son secrétaire, s'en chargerait, il en avait l'habitude.

Il passa à la seconde missive qui, elle, retint un peu plus son attention. Il reconnut sans hésitation la fine écriture qui y figurait. La lettre provenait d'un ami, un frère. Le prince la parcourut avec empressement.

1ᵉʳ mai 1904

À son excellence, le prince Felix Youssoupoff et comte Soumakoroff-Elston

Cher ami,

Lorsque ce courrier vous parviendra, le nouveau prieur de la Confrérie des Loups, Raspoutine-Novÿi, sera sur le point d'arriver au palais d'Hiver afin d'y rencontrer la famille royale, sur invitation de notre tsar. Je vous convie à vous rendre également à la cour afin d'observer cet homme qui me semble plus porté sur le pouvoir que lui procure son nouveau titre que sur les devoirs qui y sont rattachés. L'homme semble félon. Nous devons, pour le bien de notre organisation, l'avoir à l'œil. Une enquête plus approfondie sur ses antécédents serait, à mon humble avis, de mise.

Méfiez-vous de lui, cher ami, c'est un envoûteur. Ses talents semblent avoir agi sur les membres de la Chambre des douze, et son ascension au poste relève plus de la magie que de réelles aptitudes. L'invitation de notre empereur me semble également être la conséquence de quelque manigance de sa part. Nous connaissons tous les deux les liens particuliers qui unissaient notre tsar Nicolas à Gregori Bogdanovitch, pourtant notre regretté prieur ne reçut jamais l'attention que cet homme reçoit. Nous devons surveiller ce Raspoutine pour le bien de notre mission, même si celui-ci est le nouveau prieur de notre ordre.

Je vous prie d'agréer, cher ami, l'expression de mes meilleurs sentiments..

Obéissance, Dévotion et Discipline.
Votre dévoué et cordial serviteur,

A. K.

Felix Youssoupoff relut une nouvelle fois la lettre avant de la reposer sur son bureau. Inconsciemment, il posa sa main à plat sur le feuillet, tandis que son regard glissa vers le portrait du tsar qui surmontait la cheminée de marbre. Il semblait perdu dans ses pensées. Les mots contenus dans la lettre occupaient tout son esprit.

Lentement, avec une grande maîtrise de lui-même, le comte sonna son secrétaire, qui devait se trouver à proximité puisque quelques secondes seulement s'écoulèrent avant que celui-ci frappe deux petits coups à la porte et entre dans le cabinet de travail.

L'employé s'avança jusqu'au bureau de son maître et attendit en silence que celui-ci lui fasse part de ses pensées et de sa volonté. Le prince était songeur, et ce fut d'une voix blanche qu'il s'adressa enfin à lui :

— Fiodor, je veux que tu te renseignes sur le nouveau prieur de la confrérie. Il se nomme Raspoutine-Novyï. Il doit arriver sous peu, si ce n'est déjà fait. Je veux être à la cour lors de son introduction auprès de la famille royale. Ensuite, fais quérir Andreïev. Va !

Après un léger mouvement avant du torse, l'homme sortit aussitôt de la pièce pour exécuter les ordres de son maître. De son côté, le prince demeurait songeur. Sa main droite se saisit d'un coupe-papier en argent avec lequel il se mit à jouer négligemment.

« J'ai, moi aussi, entendu parler de cet homme. Décidément, sa réputation le précède. Il passe pour un saint homme auprès de plusieurs personnes, mais il semble bien que tout le monde ne soit pas sous son influence. Qui donc m'a parlé de lui ? »

Le prince réfléchissait. La pointe du coupe-papier piquait le bout de son index gauche, mais cela ne semblait guère le déranger.

« Qui m'a parlé de lui, il n'y a pas si longtemps ? Ah ! oui, bien sûr, suis-je bête… Zinaïda* ! Allons présenter nos hommages à notre très chère mère et voyons ce qu'elle peut nous dire sur cet homme.»

Le prince se leva avec grâce de son fauteuil pour se diriger vers la cheminée. D'une main, il froissa la missive qu'il envoya directement au milieu du brasier. La lettre s'enflamma aussitôt. Au même moment, Fiodor revint auprès de son maître.

— J'ai convoqué Andreïev, il sera là rapidement.

— Fais prévenir la princesse Zinaïda que je désire m'entretenir avec elle. Et dès qu'Andreïev arrive au palais, fais-moi quérir.

Palais de la Moïka, appartements privés de la princesse Zinaïda Youssoupoff

— Ma très chère mère, comment allez-vous ce matin? s'écria le prince en entrant dans le vaste et somptueux appartement de la femme, avant de l'embrasser tendrement sur les joues.

Le salon était drapé de rose et de blanc. Les meubles étaient en bois de citronnier, et les tissus de satin et de soie se déclinaient dans une large palette de teintes de rose et d'imprimés floraux. Le «petit salon rose», comme l'appelait la princesse, où elle ne recevait que ses intimes, était frais et vivant, comme celle qui l'occupait.

— Mon Felix, je me porte à merveille, mais je suis hautement intriguée… Que me vaut l'honneur de cette visite matinale ? Je n'ai même pas pris le temps de me changer devant l'insistante demande de ma femme de chambre qui me faisait part de ton désir pressant de me rencontrer. Tu me vois là, dit-elle en désignant sa mise, en négligé.

Il fallait voir sa tenue pour comprendre que de négligé, elle n'avait que le nom, puisque la femme portait une longue robe de couleur crème en dentelles sur laquelle elle avait passé un kimono tout aussi long. Le manteau d'intérieur était tissé dans une soie de grande qualité, de la même couleur que la robe et rehaussé de fines broderies colorées sur tout l'ourlet du vêtement et de ses larges manches. Sa longue et dense chevelure brune était remontée en chignon, et elle exhibait de petites perles baroques à ses oreilles et à son cou. Sa tenue n'était en rien négligée, au contraire, mais elle reflétait cependant, pour une femme de son rang, une allure plus détendue, qu'elle ne présentait généralement qu'au petit-déjeuner, lorsqu'elle était seule. Le repas matinal terminé, la princesse se changeait pour revêtir une tenue plus appropriée afin de recevoir des gens. Elle jugea toutefois que son Felix pouvait très bien la voir en négligé et que ce dernier ne s'en offusquerait certainement pas. Le prince, pour tout dire, ne perçut même pas ce détail et si sa mère n'en avait pas parlé, il ne l'aurait tout simplement pas remarqué !

— Mère, je désire vous consulter sur un sujet précis, dit-il en passant outre au commentaire de la femme. Je viens de recevoir la missive d'un ami qui me fait part d'un propos dont, il me semble, vous m'avez déjà entretenu.

— Je t'écoute, dit la femme en lui tendant une tasse de thé qu'elle venait de remplir avec le samovar* en argent de Fabergé, qui reposait au centre de la table où ils prenaient place.

Le prince la remercia d'un léger signe de tête tout en poursuivant.

— Vous rappelez-vous m'avoir parlé d'un individu que vous avez croisé chez la grande duchesse Militza, lors de votre dernier voyage en Crimée ? Vous souvenez-vous de son nom ?

— Oui, bien sûr, cet homme… Attends que cela me revienne… C'est un nom courant. Oui, oui, j'y suis : Raspoutine…

— Raspoutine-Novyï ?

— C'est exactement cela… Il s'agit bien de lui.

— Parlez-moi de lui, voulez-vous ? lui demanda le prince en trempant ses lèvres dans le liquide chaud et foncé.

— Mon Dieu, il y a déjà quelque temps de cela. Mais je me rappelle surtout l'impression que cet homme m'avait faite. Je me sentais mal à l'aise en sa présence, pourtant le grand duc Peter Nicolaevitch et, surtout, la grande duchesse et ses amis semblaient grandement l'apprécier. Je me rappelle que Militza m'a confié que l'homme, qu'elle désignait comme un *staretz*, possédait des dons, qu'il prédisait l'avenir et qu'il avait des pouvoirs... Mais tu sais comme moi que Militza est férue de ce genre de choses et qu'elle interprète peut-être trop rapidement les faits. Elle voit des forces cosmiques partout, conclut la princesse en souriant.

— Quel genre de pouvoirs ce Raspoutine posséderait-il? s'enquit le prince en répondant par un sourire à sa mère.

— Elle ne l'a pas précisé, mais elle semblait totalement subjuguée par lui. Elle ne cessait de lui répéter qu'il fallait absolument qu'il rencontre la tsarine Alexandra et la famille royale. Que sa place était à la cour...

— Très intéressant... Je crois qu'il a suivi les conseils de notre grande duchesse, car c'est ce qu'il est sur le point de faire. Notre ami vient d'être nommé prieur du monastère Ipatiev à Kostroma et il sera quelque temps à Saint-Pétersbourg pour rencontrer la famille royale, sur invitation, tenez-vous bien, du tsar lui-même!

La princesse, qui était l'une des plus belles femmes de Russie, fronça légèrement ses sourcils parfaitement dessinés. De sa main délicate, elle tenait toujours la soucoupe de porcelaine sur laquelle elle posa la tasse finement peinte de motifs bucoliques : des papillons et des fleurs rehaussés de détails en or.

— Eh bien, j'ai l'impression que la grande duchesse est parvenue à convaincre la tsarine de faire venir ce *staretz* à la cour. Elle succombera elle aussi à ses charmes…

La princesse émit un petit rire.

— … même si l'homme est… effrayant !

— Que voulez-vous dire ? demanda le prince, intrigué, en finissant sa tasse de thé.

— Ce Raspoutine est tout simplement repoussant, mon ami. Il est laid et d'allure répugnante. Il arbore une barbe longue et mal entretenue, des cheveux sales et décoiffés, et est toujours vêtu de ce sempiternel accoutrement de moine orthodoxe complètement élimé. Je suis restée six jours chez eux, et pas une fois je ne l'ai vu changé, peigné et lavé durant mon séjour. Mais il faut croire que l'homme a quelque chose qui dépasse son apparence puisque la grande duchesse, son mari et ses amis n'avaient d'yeux que pour lui… comme s'il les avait…

— Envoûtés ?

— Oui… je crois que l'on peut dire ça. Cet homme a un très grand pouvoir de séduction, malgré…

La femme eut un geste équivoque, mais ne termina pas sa phrase.

— Mais vous, vous n'avez pas succombé ?

— Non. J'ignore pourquoi, quand je repense au pôle d'attraction qu'il était et à l'ascendant qu'il exerçait sur les autres, même sur les hommes. Peut-être me faut-il plus que des yeux envoûteurs et quelques tours de passe-passe pour m'impressionner!

— Oui, j'en suis certain! Il me tarde de voir cet homme… Que diriez-vous, chère mère, si nous allions rendre visite à notre tsar, afin de faire plus ample connaissance avec ce nouveau «favori» de la cour?

Le prince Youssoupoff et sa mère, la princesse Zinaïda, n'avaient pas besoin d'invitation pour être reçus à la cour du tsar Nicolas II, puisqu'ils représentaient la famille la plus puissante d'Europe. Leur richesse dépassait celle des rois et celle de l'empereur de Russie lui-même.

— Je veux que vous suiviez cet homme partout où il ira et que vous preniez des renseignements sur lui. Je veux tout connaître, de la date de la percée de sa première dent jusqu'à ses allées et venues actuelles. Dépêchez-vous, il me faut ces renseignements le plus tôt possible.

L'homme, qui n'avait pas ouvert la bouche depuis son arrivée, salua respectueusement son interlocuteur avant de quitter la pièce. Le prince Youssoupoff s'était toujours entouré de gens efficaces sur lesquels il savait pouvoir compter.

Le noble se dirigea vers son bureau où il prit place, et demeura un moment songeur, les yeux dans le vide. Il opinait de la tête comme s'il se confirmait à lui-même une décision qu'il avait prise. Il ouvrit un des tiroirs du meuble en acajou pour en sortir une feuille de papier vierge, dépourvue d'en-tête, et un stylo-plume. Il leva les yeux vers le portrait du tsar avant de commencer sa rédaction.

Chapitre 10

Mai 1904

Une épaisse buée sortait des naseaux des chevaux exténués. Ils avaient filé toute la journée pour atteindre les portes de la ville impériale avant la tombée de la nuit. Ça faisait maintenant cinq jours qu'ils galopaient à vive allure en direction de Saint-Pétersbourg et la fatigue se faisait sentir, surtout que la température n'avait en rien facilité leurs déplacements.

Les derniers jours d'avril avaient réservé aux habitants des comtés russes quelques surprises, et ce fut sous un épais manteau de neige que ceux-ci s'étaient réveillés un matin. Ce caprice de mère Nature était un parfait exemple des aléas climatiques des pays hyperboréens.

Bien entendu, la chaleur du soleil viendrait à bout de faire fondre ces dernières manifestations de l'hiver, mais les gens commençaient à en avoir assez de devoir se déplacer dans une gadoue enlisante.

Il faut vivre dans un pays de glace pour apprécier pleinement les premières journées de printemps, quand les rayons du soleil caressent timidement votre joue et que les premiers perce-neige braquent avec une volonté stupéfiante leurs pointes blanches à travers la neige. Chaque printemps, depuis la nuit des temps, la nature bataille fort pour reprendre ses droits. Et ce n'est que sous un ciel nordique que l'on peut en saisir toute la signification et goûter tous les espoirs liés à cette renaissance.

Les chevaux exténués se dirigèrent d'un pas traînant vers l'étable d'une auberge qui se trouvait sur le bord de la route, à quelques kilomètres à peine de la ville où résidaient le tsar et sa famille. Modeste et sans grand confort, la pension de bois ferait très bien l'affaire, avait songé Raspoutine en la voyant. L'homme recherchait la discrétion. Il fit signe à ses hommes, trois en tout, de mettre pied à terre.

— Allons souper, mes amis, et profitons d'une bonne nuit de sommeil. Nous en avons besoin. Demain, nous repartirons tôt. Je veux être à Saint-Pétersbourg dans la matinée. Le tsar m'attend, ajouta-t-il dans un éclat de rire.

Les quatre hommes abandonnèrent leurs bêtes harassées à un jeune garçon qui venait d'apparaître devant eux, probablement le fils de l'aubergiste, avant de pénétrer dans l'isba*.

Ce ne fut que plus tard en soirée, alors qu'il se retrouva seul dans sa pauvre chambrette où s'infiltrait le froid, que le prieur de la Confrérie des Loups put enfin savourer la joie d'être si près du but qu'il s'était fixé tant d'années auparavant. Demain, le tsar le recevrait, lui, simple moine de Sibérie. Un large sourire vint illuminer son visage ingrat. Il ferait son entrée à la cour par la grande porte et, bientôt, tous les grands de ce monde rechercheraient sa compagnie.

— Nicolas semble si facilement manipulable… Voyons maintenant sa femme, murmura-t-il en souriant, les yeux remplis de malignité.

Chacun de ses pas s'accompagnait d'un murmure, d'une remarque. Cela ne le gênait guère, au contraire. Le nouveau maître du monastère Ipatiev en retirait une grande satisfaction, comme on pouvait le voir sur son visage. Sa présence, là, dans les corridors du palais d'Hiver qui menaient directement au Grand Salon où l'attendaient le tsar et la tsarine, était pour lui la plus douce des réponses à ces commérages qui l'accompagnaient de couloir en couloir depuis son arrivée au palais.

Certains connaissaient déjà son nom et les autres cherchaient à le connaître. Vêtu de sa robe noire et de ses bottillons de cuir patinés, le religieux savait à ce moment précis que l'expression «l'habit ne fait pas le moine» prenait ici toute sa signification! Et ce constat le fit sourire.

Avant d'être introduit dans le Grand Salon, Raspoutine devait attendre d'y être invité et, à l'étonnement général, cela se fit dans un très court délai. Certains bourgeois fortunés de Russie attendaient depuis l'aurore d'être enfin reçus, et voilà que ce simple religieux à la mine si quelconque se voyait, dès son approche, ouvrir toutes grandes les portes qui menaient à l'intimité de l'empereur et de sa femme.

Un homme en livrée noire, rouge et or sortit de la pièce pour claironner:

— Son Altesse Impériale le tsar Nicolas II de Russie et la tsarine Alexandra Fedorovna Romanova convient le prieur du monastère Ipatiev, Raspoutine-Novyï, à se présenter.

Le moine se redressa, puis prit une profonde inspiration avant de passer l'immense porte ouvragée qui menait au Grand Salon.

— Ahhh! Raspoutine-Novyï, soyez le bienvenu à la cour de toutes les Russies, s'exclama Nicolas II en le voyant, faisant ainsi tourner toutes les têtes vers le religieux.

Raspoutine se tenait droit. Une grande fierté se dégageait de lui et tranchait singulièrement avec son aspect si rustre. Le religieux affichait une réelle suffisance de se voir ainsi reçu à la cour de Russie. Sans perdre contenance, il franchit en quelques enjambées la distance qui le séparait de l'endroit où se tenait le tsar. Arrivé à la hauteur du monarque, Raspoutine fit une légère flexion du torse en signe de salut et de respect, portant sa main droite à son cœur.

— Nous sommes heureux de vous compter parmi nous et j'espère que nous pourrons bénéficier de votre présence longtemps. Raspoutine, laissez-moi vous présenter celle qui enchante toutes ces rencontres et illumine la Russie tout entière par sa beauté et sa grandeur, la tsarine Alexandra.

Le moine tourna la tête vers la dame qui venait en souriant dans leur direction. Alexandra Fedorovna Romanova était une femme resplendissante. Elle avait une silhouette grande et mince, les cheveux châtain, les lèvres minces, et son regard triste lui conférait quelque chose d'unique. La tsarine était l'archétype de la beauté allemande classique et elle semblait avoir du tempérament. En la voyant venir, le moine ne put que remarquer que l'impératrice était enceinte, comme il l'avait prédit au tsar lors de leur première rencontre, alors que l'événement n'avait pas encore été officiellement proclamé. La rondeur de son ventre annonçait que la naissance de l'enfant aurait lieu dans quelques semaines.

Nicolas II suivit son regard et sut immédiatement à quoi pensait le moine.

— Notre chère épouse donnera naissance d'ici août à notre cinquième enfant, et nous espérons que ce ventre cache l'héritier du trône. Quatre filles, je crois que le destin se joue de moi, il met ma patience à rude épreuve, lança le tsar dans un éclat de rire qui fut aussitôt repris par tous.

L'empereur fixait attentivement Raspoutine tout en cherchant à lui faire clairement comprendre que personne n'était au courant de sa prédiction, ce que le religieux saisit sur-le-champ.

Celui-ci salua respectueusement la tsarine.

— Madame, c'est un tel honneur pour le modeste moine que je suis de me trouver devant vous.

— Nous vous rencontrons enfin ! Vous savez que votre nom circule partout grâce à notre chère grande duchesse Militza, que vous avez semble-t-il grandement impressionnée. On vous prête de grands pouvoirs, comme celui de prédire l'avenir…

Raspoutine ne répondit pas ; il ne fit qu'acquiescer.

— Dites-moi, Raspoutine, que voyez-vous en ce moment ? Est-ce que cet enfant que je porte comblera nos espoirs ? demanda la tsarine en tendant la main à son mari. Est-ce un fils qui naîtra dans quelque temps ?

Le moine porta de nouveau ses énigmatiques yeux bleus vers l'empereur et, pendant une seconde, le temps fut suspendu. Sans que nul n'eût conscience de ce qui était en train de se passer, le moine pénétra l'esprit de Nicolas II pour savoir s'il pouvait ou non faire sa prédiction.

— Je mets tous mes dons, aussi modestes soient-ils, à votre service, Majesté, et je peux vous prédire que ce prochain enfant sera un fils.

Une clameur se répandit parmi la trentaine d'invités. Des murmures fusèrent et la tsarine, que la nouvelle sembla réjouir, leva la main pour imposer le silence.

— Vous voyez ça?

— Oui, Votre Majesté.

— Hum, hum! J'ai bien hâte de voir si vous avez raison… Si cela était, vous savez que votre renommée dépasserait rapidement les murs de ce palais. Fort bien. Nous ne pouvons qu'attendre, n'est-ce pas? dit-elle en tournant la tête vers son mari. Alors, attendons.

La tsarine tourna le dos à l'homme pour suivre le tsar qui la menait vers son cercle de dames de cour. Une dizaine de femmes entourèrent aussitôt l'impératrice en gloussant et en piaffant devant ce qui venait de se passer.

— Mon cher ami! s'écria alors la grande duchesse Militza en s'élançant à son tour vers le prieur avant que d'autres ne l'accaparent. Je suis fort aise de vous revoir ici. Votre présence nous a manqué, mais je me suis laissé dire que vous étiez fort occupé à gérer le monastère Ipatiev. Évidemment, l'existence au monastère n'a rien à voir avec la vie à la cour. Ce doit être si ennuyeux, soupira-t-elle comme pour elle-même. J'espère que vous resterez ici quelque temps, pour profiter un peu de… mon Dieu, de la vie!

— Grande duchesse Militza, c'est une joie de vous revoir. Je peux vous certifier que nos soirées me manquent, à moi aussi, mais vous savez ce que c'est: j'ai de grandes responsabilités. Je viens, comme vous le savez déjà, d'être nommé prieur du monastère, et cette charge est complexe, croyez-moi. Cependant, je suis sûr que durant mon séjour dans la capitale, nous aurons l'occasion de nous revoir.

Dans un coin de la pièce, confortablement installé dans un large divan en velours bleu, le prince Youssoupoff et sa mère, assise à ses côtés, échangèrent un regard discret. Les deux nobles avaient suivi silencieusement l'arrivée du religieux à la cour et voyaient déjà, par expérience, se tisser les alliances. Le nouveau venu avait conquis le tsar et sa femme et, pour plusieurs, cela signifiait qu'il fallait devenir l'ami du moine en question, peu importe son apparence et surtout la couleur de son âme.

Le prince sentit un frisson le parcourir. Il n'aimait pas Raspoutine. D'instinct, Felix Youssoupoff sut alors que le moine allait causer sa perte. Il ignorait encore à quel point sa vie, par sa faute, serait bouleversée et marquée à tout jamais. Raspoutine entrait dans son existence pour ne plus jamais en sortir.

À suivre…

DES PERSONNAGES PLUS GRANDS QUE NATURE

Felix Youssoupoff, prince et comte Soumakoroff-Elston (1887-1967). Il détint l'une des plus grosses fortunes de Russie et d'Europe. Il épousa la nièce du tsar, Irina Alexandrovna.

Karl Fabergé (1846-1920). Joaillier et orfèvre né à Saint-Pétersbourg, il se démarqua par sa fabrication de bijoux et de bibelots en pierres précieuses et semi-précieuses, et d'émaillerie sur or ou argent. Ses œuvres les plus célèbres sont certainement ses Œufs de Pâques, fabriqués pour la famille royale et la cour.

Militza, grande duchesse Militza de Monténégro (1866-1951). Elle fut l'épouse du grand duc Peter Nicolaevitch de Russie. Selon l'histoire officielle, c'est elle qui introduisit Raspoutine dans la haute société russe et c'est chez elle que le moine rencontra pour la première fois Anna Vyroubova, qui s'empressa de le présenter, à son tour, à la famille royale.

Raspoutine, Grigori Iefimovitch Raspoutine, dit Raspoutine-Novyï (1869-1916), né en Sibérie. La légende veut que ce mystique ait eu une grande influence sur la famille royale. Ses prédictions et ses « dons » auraient convaincu le tsar Nicolas II de ses immenses pouvoirs. Le moine aurait plusieurs fois sauvé la vie du *tsarevitch* Alexis, qui souffrait d'hémophilie.

Romanov de Russie, la famille :
- Nikolaï Aleksandrovitch Romanov, dit Nikolaï II de Russie (1868-1918) ;
- Alexandra de Hesse-Darmstadt : nom russifié : Alexandra Fedorovna Romanova (1872-1918);
- Olga Nikolaïevna Romanova (1895-1918) ;
- Tatiana Nikolaïevna Romanova (1897-1918);
- Maria Nikolaïevna Romanova (1899-1918);
- Anastasia Nikolaïevna Romanova (1901-1918);
- Alexis Nikolaïevitch Romanov (1904-1918).

Zinaïda Youssoupoff, princesse et unique héritière de la puissante famille Youssoupoff (1861-1939). Elle épousa le comte Soumakoroff-Elston avec qui elle eut deux fils : Nicolas, qui mourut dans un duel, et Felix, qui connut également un destin particulier. Immensément riche, la famille Youssoupoff possédait seize châteaux et palais, en plus d'une partie des industries de la Russie. C'était une des familles les plus riches d'Europe.

Un peu de symbolisme pour mieux comprendre certains choix de l'auteure

Blanc: À l'opposé du noir, le blanc représente l'absolu. C'est la couleur du candidat, du rite de passage permettant la mutation de l'être: c'est la renaissance.

Douze: Le chiffre douze symbolise l'univers dans son développement espace-temps, et il en exprime aussi toute la complexité. Ce chiffre est souvent cité dans les références des symboles chrétiens: les 12 portes de Jérusalem; les 12 apôtres de Jésus; les 12 mois de l'année; les 12 signes du zodiaque, etc. Ce chiffre représente également l'Église.

Émeraude: On confère à cette pierre précieuse verte et translucide des pouvoirs régénérateurs et ésotériques. On la retrouve dans beaucoup de textes, et sa présence marque bien la croyance des pouvoirs qu'on lui confère. Les alchimistes l'appelaient la « rosée de mai », et elle aurait le pouvoir de percer les ténèbres. Pour les adeptes de symbolisme, elle a la réputation d'être une pierre mystérieuse qui peut être dangereuse pour celui qui en ignore toutes les vertus.

Loup: À l'origine, le loup, chez plusieurs peuples, représente la lumière. Son symbolisme destructeur apparaît seulement lors de l'expansion de la religion chrétienne. Le loup représente le héros guerrier, ainsi que l'esprit de la forêt.

Noir : À l'opposé du blanc, le noir représente la nuit, la fin et la mort. Il est également le symbole de la terre fertile. Il donne une impression d'opacité, de mystère et de secret. C'est aussi un symbole de vie renouvelée. Le noir est depuis toujours associé à la magie et à l'ésotérisme.

Rouge : Symbole fondamental de la vie, le rouge est la couleur du feu et du sang. Selon sa teinte, le rouge exprime différentes symboliques : le rouge foncé, par exemple, exprime le mystère de la vie et incite à la vigilance. Le rouge est la couleur des alchimistes.

Le sceau de la confrérie : Une croix à roue à quatre rayons, symbole préchrétien de la lumière et du soleil.

- Le cercle représente l'unité.
- La barre horizontale représente la totalité des états que porte l'être en lui-même.
- La barre verticale représente l'ensemble des possibilités associées à un état.
- Ses couleurs sont le rouge et le noir (voir signification ci-dessus).

Soixante-quatre : Le carré de huit représente la totalité, la perfection. Il est complétude, béatitude et plénitude. C'est le nombre symbolique de l'accomplissement terrestre.

Pour ces quelques mots et dénominations que l'on connaît moins

Androgyne: Qui tient des deux sexes. Par exemple, un visage doux et des traits fins pour un homme, rappelant la féminité.

Anneau d'or (l') : Région située au nord-est de Moscou, entre la Volga et la Kliazma. Zone particulièrement fertile qui joue depuis toujours un rôle important dans l'économie du pays.

Arcana arcanorum : En latin, se traduit par le secret des secrets.

Arcane (un) : Du latin *arcanus*, secret. Opération mystérieuse dont le secret est connu des seuls initiés.

Atrabilaire: Facilement irritable, coléreux.

Baiser sur la bouche (un) : Coutume russe, même entre hommes!

Baranov ou Baranova? : En Russie, le nom de famille d'une femme s'écrit avec un «a» à la fin.

Blini (un) : Le «i» indique le pluriel. Blin: Petite crêpe épaisse que l'on sert généralement avec du poisson fumé.

Blokha **(une)** : Puce, en russe.

Chapka (une): Mot russe désignant un bonnet de fourrure qui protège les oreilles, le cou et le front.

Chtchi (le): Soupe au chou généralement très épaisse que l'on prépare avec du poisson, de la viande ou des champignons.

Cooptation (une): Désignation d'un membre nouveau d'une assemblée ou d'un groupe par les membres qui en font déjà partie.

Dynastie (une): Succession de souverains d'une même descendance.

Entrelacs (des): Ornement, composé de lignes entrelacées, qui peut être abstrait, géométrique ou composé de motifs végétaux ou animaliers stylisés (*Le Petit Larousse illustré*, 2007).

Frère lai (un) ou sœur laie (une): Religieux ou religieuse non admis en communauté et qui assure pour celle-ci les services matériels.

Icône (une): Représentation d'image sacrée du Christ, de la Vierge, de saints et d'anges, typiquement russe. Généralement peinte sur des panneaux de bois, elle se distingue par ses couleurs éclatantes. Elle est très représentative de la ferveur religieuse des Russes orthodoxes. Chaque foyer, de la plus humble chaumière au palais des tsars, possède son icône protectrice.

Isba (une) (en russe: *izba*): Habitation faite de rondins de bois de sapin, généralement sommaire et réservée aux paysans.

Kabbale (la) : Interprétation ésotérique et symbolique de textes bibliques.

Kacha **(la)** : Céréale qui ressemble à du *porridge* (céréale cuite comme du gruau).

Kalatchi **(un)** : Petits pains torsadés.

Kvass **(un)** : Boisson faite de pain fermenté.

Névé (un) : Plaque de neige isolée, parfois importante, pouvant persister même l'été.

Numérologie (la) : Technique divinatoire basée sur l'analyse numérique de caractéristiques individuelles comme le nom, la date de naissance ou autre. Cet art divinatoire se base sur la Kabbale*.

Okhrana **(l')** : Une section de la police secrète impériale, très redoutée, active de 1881 à 1917. Elle imposa une surveillance implacable à tous les paliers de la société russe et contrôla entièrement les écrits et la pensée. Ses arrestations menaient tout prévenu dans les mines de Sibérie, condamné aux travaux forcés à perpétuité. Pour appliquer ses lois et protéger le pouvoir, cette organisation disposait de plus de 20 000 agents secrets et agents infiltrés, en Russie et ailleurs.

Orthodoxie (une) : Ensemble des doctrines des Églises orthodoxes. Églises orthodoxes : Églises chrétiennes orientales, séparées de Rome en 1054, mais qui demeurent fidèles à la doctrine.

Pater (le) : Prière en latin qui commence par les mots *Pater noster*, « Notre Père » (*Le Petit Larousse illustré*, 2007).

Pelisse (une) : Doublure intérieure de fourrure, sans manches, qui peut se porter seule.

Rinceau (un) : Ornement fait d'éléments végétaux disposés en enroulements successifs (*Le Petit Larousse illustré*, 2007).

Ruban (un) : Ornement d'architecture représentant un ruban qui s'enroule autour d'une tige (*Le Petit Larousse illustré*, 2007).

Sabir (un) : Système linguistique réduit à quelques règles de vocabulaire, né bien souvent de contacts entre des communautés différentes. C'est également le nom donné au français mêlé d'arabe, de berbère, d'espagnol, d'italien et d'autres langues. Un sabir peut également décrire de façon péjorative le langage difficilement compréhensible (*Le Petit Larousse illustré*, 2007).

Saignée (une) : Procédé médical, rarement utilisé de nos jours, qui consistait à soustraire du sang par ponction d'une veine.

Samovar (un) : Instrument en hauteur muni d'un robinet, servant de bouilloire et de réchaud pour faire du thé. Généralement décoratif et en métal.

Scriptorium (un) : Atelier monastique d'écriture.

Sénéchal (un) : Historiquement, grand officier qui commandait l'armée et rendait justice au nom du roi. D'un point de vue ésotérique, haut grade dans certaines sociétés secrètes, comme les Templiers.

Sœur d'armes ou frère d'armes : Femme ou homme qui a combattu aux côtés d'une autre personne, pour la même cause.

Staretz **(un)** : Titre donné à des moines laïques ou religieux que l'on venait consulter en qualité de prophètes.

Tarabiscoté (adj.) : Orné avec excès.

Tsarevitch ou grand duc : Désigne le fils ou le petit-fils du tsar.

Tsarevna ou grande duchesse : Désigne la fille ou la petite-fille du tsar, ou encore l'épouse du *tsarevitch*.

Tsaritsa : Désigne la femme du tsar, l'impératrice.

Valia : Diminutif de Valeria. Les Russes utilisent presque toujours des diminutifs entre eux.

Zdarov'ié : « Santé ! » en russe.

LES LOUPS DU TSAR

LE COURAGE ET L'HUMILITÉ

SYLVIE-CATHERINE DE VAILLY

LES INTOUCHABLES

EN LIBRAIRIE MAINTENANT

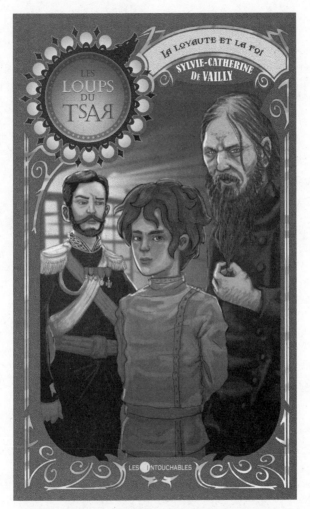

EN LIBRAIRIE MAINTENANT

La production du titre *Les Loups du tsar, La naissance et la force* sur
5 678 lb de papier Enviro antique naturel 100m plutôt que sur du
papier vierge aide l'environnement des façons suivantes :

Arbres sauvés : 48

Évite la production de déchets solides de 1 391 kg

Réduit la quantité d'eau utilisée de 131 593 L

Réduit les matières en suspension dans l'eau de 8,8 kg

Réduit les émissions atmosphériques de 3 055 kg

Réduit la consommation de gaz naturel de 199 m^3

Transcontinental
IMPRESSION
IMPRIMERIE GAGNÉ